KB076764

새벽의 우리들

새벽의 우리들

강희진

추효림

김승미

율리

비엔나소시지

김정아

김 현

검정 뚠뚠이

〈새벽의 우리들〉

당신에게 새벽은 어떤 시간인가요? 행복한 추억과 떠오르는 설렘에 잠을 청하지 못하는 그런 새벽. 아니면 어제의 후회와 내일의 걱정으로 잠 못 이루는 긴 새벽. 아마도 많은 분들이 여러 생각과 감정들을 정리하게 되는 시간이 바로, 새벽일 것입니다. 저 역시도 새벽에 떠오르는 생각들과 복잡한 감정들에 길고 긴 새벽을 수도 없이 보냈습니다. 그런데 아이러니하게도 새벽의 일들은 잠에 들고 깨어나면 대부분 흐릿해져 있더군요. 새벽엔 잠 못 이룰 정도로 심장 뛰게 했던 일들이 아침햇살과 함께 일상을 시작하고 나면 희미해지는 것이죠. 대부분의 기억과 생각들이 그렇습니다. 우리가 한때 소중하게 여겼던 추억과 오래도록 간직하고 싶었던 생각들은 매일 떠오르는 아침 햇살에 빛이 바래기 마련입니다. 그래서 우리는 책 쓰기에 도전했습니다.

우리네 인생은 좀처럼 평탄하지 않습니다. 당신이 무심히 지나치게 된 돌부리에도 누군가는 넘어질 수도 있고, 누군가는 뻥 차버리면서 인생 업적을 세울 수도 있죠. 그래서 비슷해 보이는 인생들에도 저마다의 재미있고 뜻깊은 이야기들이 숨어있는 것 같습니다. 이 책의 글들도 그렇습니다. 소중히 쓰인 각자의 글들은 저마다 다른 매력을 갖고 있습니다. 아마 책을 읽는 모두에게 새로운 경험이 될 것입니다. 비슷한 부분에 공감하고 미처 몰랐던 것들에 대해서 함께 생각해 보는 시간이 되길 바랍니다.

   바쁜 일상 속에서 글을 쓰고 완성한다는 것은 정말 힘든 일이었습니다. 하지만 누군가는 과거에 느꼈던 감정과 생각들을 되새기기 위해. 또 누군가는 현재의 생각을 더 멀리 나누고 오래도록 기억하기 위해. 또 다른 누군가는 미래에 비슷한 고민을 할 다른 사람을 위해서 이 글들을 작성했습니다. 이제 우리는 여기에 발자취를 남기고 한 발짝 더 나아가려고 합니다. 매일의 아침을 향해 나아가는 새벽의 우리들을 응원하며.

                                        - 공동저자 中 김승미

차 례

베네치아에서 일어난 이야기

강희진

강희진   우주의 신비로움과 광활함을 동경하며 그 우주에서 살아가는 이들에게 일어났으면 하는 따뜻하고 낭만적인 이야기가 담긴 글을 써가고 싶습니다.

주의) 이 이야기는 100% 허구이니 절대 믿지 않기를 바랍니다.

정말 일이 이렇게 될 줄은 꿈에도 몰랐다. 어디인지, 어느 시대인지도 모르겠는 이곳에서 본 지 그리 오래되지도 않은 남자와 함께 감옥을 도망쳐 나올 줄이야. 남자와 나는 방금 함께 수중감옥에서 탈출하여 곤돌라를 타고선 정처 없이 강물을 따라 흘러가는 중이었다. 이런 말도 안 되는 순간에 내가 느끼는 감정은 두려움이 아닌 왠지 모를 평안함 혹은 안정감이었다. 근래에 이렇게까지 차분했던 적이 있었는지를 떠올리며 같은 배에 탄 남자를 애정을 담아 바라보았다. 그러자 문득 웃음이 나왔다. 불과 며칠 전만 해도 다음을 예측할 수 있는 인생에서 탈출해 왔던 내가 지금은 감옥에서 탈출하고 있는, 전혀 예측 불가능한 모습이라는 사실이 웃음을 자아냈다. 탈출은 했지만 어디로 가고 있는지도 모른 채 떠도는 지금 이 상황과 맞지 않으면서도 어쩌면 맞을 '어이없음이 섞인 내 웃음'에 남자는 의아해하다 따라 웃었다. 그의 맞-웃음에 이번엔 정말로 웃음이 났다. '진짜 웃음' 말이다.

그렇게 우리 둘은 한참을 웃다가 한 명이 사레에 걸려 기침을 콜록거리고 나서야 웃음을 멈췄다. 다른 한 명은 겨우 그친 웃음의 잔해로 눈물까지 그렁그렁 맺혀있었다. 그 투명한 눈물은 밝은 보름달을 온전히 머금고 있었다. 숨을 깊게 들이쉬자 선선한 밤공기와 물 냄새가 한꺼번에 코로 들어왔다. 그 사이를 비집고 들어오는 맛있는 냄새에 한동안 아무것도 먹지 않았음을 알리려는 듯 배꼽시계가 울었다. 우리가 흘러가고 있는 좁은 강을 사이에 두고 보이는 수중마을의 집들은 한창 저녁 식사를 하는 중인 듯 보였다. 아이들의 까르륵 소리와 식기 부딪히는 소리가 귀를 간지럽히며 마음을 한층 더 편안하게 만들어주었다. 20대가 된 뒤로는 거의 매일 저녁 혼자 끼니를 때웠다. 얼마만의 정겨운 식사 장면을 보는지, 나는 아예 뱃머리에 기대어 자리를 잡고선 곤돌라가 스쳐 지나가는 집마다 밝게 빛나는 창문 너머의 가족 식사 모습을 바라보았다.

"사람 사는 거 다 똑같네요."

내 말에 그는 예쁜 미소를 짓는다. 우리를 목격한 몇몇 이들은 한창 집중하던 식사에서 눈을 떼고는 손 인사를 건네주었다. 이에 남자와 나는 다시 서로를 바라보았다. 우리는 또 웃었고, 입술이 포개어졌다. 그의 입술은 거칠지만 따뜻했다. 마치 갓 프린팅되어 나온 종이처럼.

"은주 씨. 프린터기. 종이."

가래 끓는 목소리로 불리는 내 이름 뒤에는 평소와 같이 서술어 없는 단어들이 나열되었다. '프린터기'와 '종이', 초등학생들에게 두 단어를 주고 문장을 만들래도 만들 수 있을 것이다. 김 주임은 바쁘신 와중에 친히 문장까지 만들어줄 생각은 추호도 없어 보였다. 주임님의 부름에 나는 속으로는 알고 있는 가장 심한 욕을 하면서도 주임님을 따르는 강아지처럼 프린터기의 종이를 바꾸기 위해 자리에서 벌떡 일어났다. 내가 용지를 갈아 끼우는 모습을 벽에 기대어 뚫어져라 보는 와중에 그녀의 목에선 자꾸 큼큼거리는 소리가 났다. 담배를 얼마나 피우는지, 근처만 가도 담배 냄새가 진동하는 여자였다. 뚜껑을 닫자, 프린터기는 따뜻한 종이를 '지잉' 하고선 뱉어냈다. 문제가 해결되었음을 확인한 뒤 바로 몸을 돌려 다시 자리로 돌아가면서 등 뒤로 들리는 김 주임의 "땡큐"에 예의상 고개를 끄덕였다. 남들이 보기엔 알아채지 못할 미세한 목례였다. 옆자리의 박 대리가 화장을 고치러 가는 걸 보니 11시 반쯤 되었겠다 싶어 모니터 시간을 보니 딱 그 시간이었다. 오랜만에 적중한 측에 기분이 조금 나아진다. 중소기업들 중에선 나름 이름있는 이 회사에서 인턴으로 일한 지 4개월쯤 지나며 혼자만의 루틴이 생겼다. 아침엔 얼마 걸리지 않는 회의록을 최대한 시간을 끌며 작성한 뒤 의미 없는 마우스의 딸깍거림을 반복하다가 점심시간이 30분 남을 때쯤 사내 연애 중인 박 대리가 화장을 고치러 일어나면 채용 공고를 뒤적거리기 시작했다. 채용 공고를 훑는 내 손길은 날이 지날수록 누가 검사라도 하는 양 형식적이었다. 나는 대학 마지막 학기가 되면서 취업 준비에 뛰어들었다. '대학도 인-서울 나와서 학교 선배들도 다 잘 됐는데, 이 정도의 이름있는 회사는 가야지', 하며 이리 재고 저리 재던 처음의 모습과 달리 지금은 취업 사이트에서 하트를 눌러둔 줏대 없이 많은 관심 분야들의 관련 공고 알림이 뜰 때마다 지원서를 들이미는 상황이었다. 대기업의 최종 면접까지도 종종 갔지만 그런지도 1년 반쯤 지나자 면접의 기회를 얻어도 붙을 거란 기대가 없어지고 있었다. 점점 희미해져 가는 소속감과 '나'를 설명할 수식어가 난감해진 요즘, 대학 졸업장이나 공모전 상장 같은 거라도 내세워 구질구질하게 이름 앞에 붙여가며 스스로를 증명해 보이고 싶었으나 그 정도는 하는 사람들이 수두룩 빽빽-인 세상이었다. 빽빽한 숲일수록 나무는 햇빛을 보기 위해 경쟁해야 한다. 그렇게 불합격의 글자들에도 점차 익숙해지고, 소속이 없다는 건 인간을 상당히 불안하게 만듦을 알아가고 있는 이십 대 후반의 늦가을을 겪는 중이었다.

"응? 은주 씨, 전화 오는데?"

입술이 붉어져 자리에 돌아온 박 대리는 내 휴대전화를 가리켰다. 무음으로 설정한 휴대전화에는 지역번호로 시작하는 숫자가 떠 있었다. 언젠가부터 지역번호로 걸려 오는 전화에도 오랜 만에 걸려 오는 고향 친구의 전화처럼 기대와 동시에 의심을 품게 되었다. 2주 전쯤 해당 업계에선 꽤 유명한 배터리 제조 회사의 면접을 보러 갔었다. 나의 기대감이 섞인 여보세요-가 끝맺기도 전에 은행 상품 소개가 수화기 너머로 들려왔다. 역시나 기대보단 의심 쪽이었다.

퇴근한 이후에도 일부러 맘 편히 쉬지 않다가 저녁 8시 반쯤이 넘어가서야 몸에 긴장을 풀고 맥주 한 캔을 따서 유튜브를 배회하는 중이었다. 이 시간이면 보통 '합격 발표는 오늘도 아니군', 하며 취업 준비생들이 모인 단체 오픈 톡방으로부터 서로 얼굴도 모르는 동지들에게 내일을 기다려 보자는 메시지들이 쌓인다. 그런데 방심은 금물이라는 말은 누가 먼저 시작했는지. 저녁 9시가 막 넘어간 이 시간에 결과 발표 문자가 날아오는 경우는 처음이었다. 긴장을 풀고 보니 더욱 맥이 빠지게 하는 '불합격'이었다. 이 세글자는 볼 때마다 지난날의 나를 모두 부정하게 된다. 그때 면접관들에게 했던 태도가 문제였는지, 그 말을 하지 말 걸 그랬는지, 그날 비가 와서 그런 건지, 혹은 평소에 김 주임에게 좀 더 상냥할 걸 그랬는지 싶다가도 누군가는 지금쯤 지난날의 행운을 훑고 있을 거라는 생각에 더욱 우울해진다. 당장 다음 주면 지금 다니는 인턴도 끝이 난다는 것을 깨달은 나는 아르바이트라도 구해야겠다 싶어 가장 최신 아르바이트 공고로 올라온 가까운 편의점 야간 아르바이트 지원 문자를 작성했다. 문자를 다 쓰고 갑자기 떠오른 냉장고에 있던 유통기한 지난 편의점 빵을 꺼내 먹으며 유튜브로 이미 봤던 프로그램을 괜히 또 틀어보았다. 종종 몸이 있는 곳과 다른 곳 어딘가로 떠나고 싶어 울컥, 울컥하는 마음이 올라올 때가 있다. 그런 밤이 잦은 최근이었다. 오늘은 유독 심했다. 밤 11시가 다 되어갔고, 1시간 뒤면 그 애의 첫 기일이었다.

우리는 꽤 친했다. 특히 친구를 사귀는 것엔 취미가 없던 그 친구에게 나는 '정말 친한 친구'였다. 덩치 큰 남자애치곤 감성적이고 조용한 편이었던 그 애와 나는 대학 교양수업에서 처음 만났다. 천문학에 관한 수업이었고, 우리 둘은 우주를 동경한다는 공통점이 있었다. 우린 수업이 끝나면 항상 자리에 남아 수다를 떨었다. 아니다, 수다를 떨었다기엔 대화의 90%는 내 목소리, 10%는 그 애의 조용한 웃음으로 이루어졌던 것 같기도 하고. 아무튼 글쓰기를 좋아하던 그 친구는 나에게 적어도 2개월에 한 번씩은 편지를 써주었다. 그렇게 나는 글씨로, 그 애는 목소리로 우린 서로를 충분히 알았다. 멋있는 친구였다. 심장이 간지러웠다. 무슨 짓을 해도 편들어주고 싶었다. 그게 좋아하는 감정인 줄 몰랐다.

"은주. 넌 죽으면 가장 가고 싶은 곳이 어디야?"

"그게 뭐야, 죽으면 죽는 거지. 넌 있어?"

"응. 난 베네치아."

학교 도서관 앞에 앉아 새벽하늘을 함께 보고 있었을 때였다. 베네치아가 어딘지 묻는 나에게 그 애는 이탈리아에 있는 수상 도시라고 말해주었다. 그리고 좁은 강을 사이에 둔 색색의 집들, 모두가 가면을 쓰고 돌아다니는 카니발, 로맨틱한 교량, 그곳에서 키스하는 연인들까지. 그 애가 들려주는 생애 가본 적 없는 도시를 그날 새벽, 머릿속에 생생히 담았다.

휴대전화를 켜서 몇 번이고 예약했다 취소했는지를 모를 항공권 사이트에 슬김에 다시 들어간다. 어김없이 이탈리아행 비행기를 검색하던 중 갑자기 떠오르는 배너광고에는 '이탈리아의 가면무도회가 곧 시작됩니다'라는 문구가 적혀있다. 배너를 홀린 듯 누르자 '특가, 당장 일주일 뒤 출발, 취소 불가'라는 글씨가 보였고, 옆에서 그 애가 말했다.

"은주. 너가 그랬지, 인간은 나이가 들수록 시간이 빠르게 간다고 느끼는 게 과학적이라고. 반복되는 일상을 뇌는 기억에 담지 않고, 나이가 들수록 웬만한 경험은 비슷하게 느낀다고."

맞아, 내가 그랬지. 내 손은 주저 없이 결제 버튼을 향했다. 정말이지 나, 어디론가 좀 떠나고 싶었나 봐. 너무 답답했나 봐. 지금 떠난다고 인생 망하는 것도 아니잖아.

"맞아 은주. 너가 그랬잖아. 우주는 가속 팽창한다고. 그 넓은 우주에서 우리 인생 아무것도 아니라고. 그래서 마음대로 해도 된다고."

맞아, 내가 그랬지. 괜히 그랬어. 아무것도 아니라고 괜히 그랬어.

의자에 웅크려 앉아 깜빡이는 속도가 느려진 내 눈꺼풀 앞엔 어느새 맥주캔 6개가 널브러져 있었다. '아, 서은주 취했나 보다.' 하는 그 애의 목소리가 들렸다.

그렇게 무작정, **운명처럼**, 베네치아에 왔다. 모든 타이밍이 맞아떨어지는 순간에 인간은 운명이라고 느낀다. 보통 유럽으로 여행을 떠나면 적어도 두 개의 나라, 정말 적어도 두 개의 도시는 돌아보곤 하지만 무작정 '베네치아로만' 왔다. 마침 모아둔 돈도 4일 정도 떠나기에 알맞았다. 난생처음 타본 비행기도 체질에 딱-이었으며 홧김에 예약한 여행까지 남은 일주일간 떠날 채비도 나름 잘 마쳤다. 급히 구한 숙소도 아늑했고 주인은 날 어디선가 본 사람처럼 따스하게 맞이했다. 조금 바랜 노란색 벽을 가진 숙소는 2층짜리 주택이었고, 내가 머물 곳은 2층 맨 끝의 작은 방이었다. 방의 창문을 여니 아래로 운하가 보였고, 건물 외벽의 장미꽃이 벽을 타고 창문틀의 바로 밑까지 올라와 있었다. 창문 너머 내밀어본 내 손끝에 닿는 어린 장미는 꽤 사랑스러웠다. 주인아주머니는 밤에만 시끄럽지 않으면 된다는 쉬운 룰을 열심히 번역기를 돌려 설명해주며, 베네치아는 하루 왔다 가는 관광객은 많아도 며칠씩 머무는 관광객이 많지 않다는 이야기와 더불어 바로 앞방에 한국인이 머물고 있다는 정보를 흘려주었다. 어딜 가나 한 명씩은 있는 수다스러운 아줌마였다. 모든 게 생각보다 순탄한 시작이었다. 하지만 한가지 걱정이 있다면 그건 바로 '내가 과연 여행을 즐길 수 있을까'라는 스스로에 대한 의문이었다. 지금까지 서은주라는 사람은 여행보단 당장 눈앞 현실이 중요한 사람이었다. "이 일만 되면 다음에- 다음에-"하며 여행을 떠나도 불안해서 즐기지 못할 사람이었다. 그런데 웬걸, 짐을 풀고 오후 3시가 다 되어가는데 한 끼도 못 먹은 채 주인아주머니가 추천해준 주변 피자집에 허기를 달래러 온 나는 생각보다 맛있는 음식과 적당히 기분 좋은 바람, 눈이 마주치자 미소 짓는 낯선 사람들에 점점 이 여행을 즐기고 있음을 느꼈다. 오기 전 급하게 인터넷으로 여행 일정을 짜며 머리를 하얗게 했던 걱정들은 안개처럼 옅어졌다. 내 입에서 무의식적으로 나온 "아, 좋다-"에 나도 몰랐던 나를 알아가는 순간이 찾아오고 있었다. 그렇게 나폴리탄 피자와 복숭앗빛 칵테일 한 잔에 기분 좋은 취기가 올라와 경계가 풀어진 후로부터 동네 곳곳을 구경하러 다니기 시작했다.

이탈리아의 수중 도시로 유명한 이곳, 베네치아는 그 애가 말했던 그대로였다. 영어 발음으로는 '베니스'라고도 불리지만 '베네치아'라는 이름이 좀 더 마음에 들었다. 물의 도시로 유명한 베네치아는 도시 전체에 수로가 연결되어 있다. 좁은 물길을 따라 이어지는 돌길과 그 사이를 잇는 작은 다리들의 옆엔 밝은 색깔의 집들이 줄을 지어있었다. 무채색의 아파트가 많은 우리나라에선 좀처럼 볼 수 없는 아기자기한 집들이었다. 돌다리에 기대어 햇살을 받아 다이아몬드 반짝임을 만들어대는 운하를 구경하다 베네치아의 전통적인 배인 양 끝이 뾰족한 형태의 '곤돌라'를 이끄는 아저씨의 손 인사에 웃음이 났다. 은은히 풍기는 물 냄새와 채도 높은 풍경은 목적지 없이 걷기만 해도 로맨틱함을 자아냈다. 휴대폰을 켜서 구글 지도에 찜해둔 도시의 중앙 광장 근처 젤라또 가게로 향했다. 레몬 맛의 쨍한 노란색 젤라또를 먹는 내 모습을 어색하게 휴대폰 카메라로 담아보기도 하고, 아이처럼 아이스크림을 한 손에 들고 까만 돌만 밟기와 같은 혼자만의 게임을 하며 길거리에 줄지어진 상점들을 구경하기도 했다. 또, 우연히 들어간 가게에서 투명하면서도 약간 보라색의 하트모양 목걸이가 맘에 쏙 들어와 나를 위한 선물로 흔쾌히 지갑을 열기도 했다. 그러다 보니 어느새 해가 어둑어둑 지고 있었다. 더 어두워지기 전에 숙소로 향하기 위해 발걸음을 옮겨 숙소 앞에 다다랐을 때쯤 '찰칵'하는 소리가 발목을 잡았다. 소리가 난 쪽으로 고개를 돌리니 한 남자가 자기 얼굴을 다 가리는 카메라를 들고 있었다. 남자가 카메라를 내리는 손길에 맞추어 그의 눈, 코, 입이 보였다.

"아, 안 찍었어요. 그쪽."

마지막으로 보인 입이 열리고 흘러나오는 중저음의 목소리에 내 얼굴은 확 붉어졌다. 상황을 깨닫고 장미꽃이 곧 전체를 덮어버릴 듯한 숙소의 문을 바르게 열고 들어와 내 방까지 순식간에 올라갔다. 후-

하고 한숨을 돌린 뒤 침대에 발라당 누워 얼굴에 남은 잔열을 식히며 하루를 돌이켜보았다. 그런지 얼마 지나지 않아 문 너머 들리는 방문이 열리는 소리에 혹시 숙소 앞의 그 남자가 앞방에 머문다는 한국인인가 하는 생각을 하며 호기심과 약간의 경계심을 느꼈다. 그 상태로 눈을 감고 숨을 들이쉬고 내쉬는 것에 집중하니 잠이 쏟아졌다. 즐기고 있다고만 생각했는데 그 속에 함께 있던, 눈치채지 못한 긴장이 풀리며 급작스러운 피곤함이 몸을 덮쳐왔다.

밖의 시끄러운 소리에 눈을 뜨니 창문으로 들어온 햇살로 주위가 밝아져 있다. 시간을 보니 정오가 넘어가고 있었다. 찌뿌둥한 몸을 일으켜 기지개를 켜고는 거울 앞에 서서 오랜만에 알람 없이 푹 자 좋아진 피부를 비비적거리다 씻고 나갈 채비를 한다. 챙겨온 몇 안 되는 옷 중 가장 좋아하는 빨간 빈티지 원피스를 꺼내 입고서 문을 열자 앞방 문을 열고 청소 중인 주인아주머니가 닦고 있는 탁자 위엔 꽤 값나가 보이는 필름 카메라가 보인다. 까치발을 들고 방 안을 구경하다 아주머니와 눈이 마주치자 곧바로 어색한 인사를 하고는 빠르게 숙소를 나왔다. 나오자마자 보이는 길을 걷는 사람들이 가지각색의 가면을 쓰고 있는 광경에 입이 떡 벌어졌다. 그러고 보니 오늘, 여행 둘째 날은 베네치아 전통 축제인 가면 카니발이 시작되는 날이었다. 어제도 구경하는 가게 곳곳에서 가면을 팔긴 했지만, 오늘은 그와는 차원이 다른 '가면 천국'이었다. 지나가는 모든 길거리 상점에선 다양한 가면을 걸어놓고 있었다. 화려한 의상을 차려입은 가면 무리가 골목마다 있었고, 그들은 동물 모양 가면이나 예쁜 무늬가 그려진 가면들을 쓰고선 축제를 즐기고 있었다. 뚱땅거리는 음악 소리에 고개를 돌리니 우스꽝스러운 돼지 가면을 쓴 아저씨가 신나게 길거리에서 연주하고 있었다. 그의 앞에 놓인 기타 가방에 동전 하나를 놓고서는 나 또한 들뜬 발걸음으로 카니발이 시작된 거리로 들어갔다.

수많은 과학자가 강조한 숙면의 효과는 엄청났다. 잘 잔 덕분인지 누구보다 활기차게 축제를 즐기다가 다리가 아파질 때쯤 부리가 있는 하얀 가면을 쓴 곤돌라 운전사의 능청에 못 이기는 척 돈을 건네고 곤돌라를 탔다. 시간이 갈수록 사람들이 점점 더 많아져 빈틈이 없는 거리를 곤돌라에 앉아 강가를 떠돌며 구경하고 있었다. 밖에 나온 지 그리 오래되지 않아 베네치아에서의 또 한 번의 노을이 지기 시작하고 있었고, 카니발은 이제 시작이라는 듯 사람들의 열정은 붉은 노을과 함께 더욱 타올라 보였다. 해가 산 뒤로 기울어가면서 하늘은 어두워졌고, 슬슬 추워지고 있었다. 내가 타고 있던 곤돌라 운전사는 지불받은 돈에 대한 서비스가 끝났는지 처음 탔던 곳과 좀 떨어진 곳에 배를 세웠다. 배에서 내리면서 웃음을 지어 보였으나 운전사의 하얀 가면은 알 수 없는 표정이었다. 생각해보니 가면 속 표정은 모르는 건데, 모두가 웃고 있다고 믿고 있었다. 날씨는 곧 비가 올 듯이 급격히 흐려졌고, 내린 곳 바로 앞의 골동품 상점이 따뜻한 주황빛을 내는 것을 보며 홀린 듯 가게 안으로 들어갔다. 가게에는 구십은 된 듯한 백발의 할머니가 눈을 감은 건지 모르겠는 게슴츠레한 눈빛으로 의자에 앉아 있었다. 진열대에는 오래되어 보이는 만년필, 지도, 망원경, 열쇠고리 등의 잡다한 것들이 모여있었다. 그중에서도 어디를 그린 건지 알 수 없는 누런 양장지에 그려진 지도가 눈길을 사로잡았다. 지도를 만지작거리다 앞을 보고 깜짝 놀랐다. 앞방 남자가 어김없이 카메라를 들고 있었고, 그 또한 나를 발견하고 꽤 놀란 눈치였다. 우리는 어색하게 고개 인사를 나누었고 남자는 자신의 앞에 진열된 열쇠고리를 집어 가게 할머니에게 값을 치른 뒤 먼저 가게를 나갔다. 딱히 무얼 살 생각은 없었는데 자극을 받은 건지 혹은 생긴 것과 달리 싼 가격 때문인 건지 손에 든 지도에 대한 값을 치른 뒤 따라 나갔다. 밖은 역시나 비가 오고 있었고 주황 등불 아래엔 곤란한 표정의 그 남자가 서 있었다.

"비가 오네요."

"아, 네. 그러니까요."

남자는 자리를 살짝 비켜주었고 나란히 등불 아래에 서서 추적추적 내리는 비를 바라보았다. 사람들로 꽉 찼던 거리는 꿈이었는지 생명의 흔적 하나 찾아볼 수 없이 조용했다. 빗소리 외엔 고요하고 조금은 어색했던 공기를 뚫고 남자의 목소리가 들려왔다.

"김재형이에요. 대학생이에요. 베네치아 오는 게 버킷리스트였거든요. 이렇게 한국인을 만날 줄은 몰랐어요. 특히 이 가게에서도요. 신기하네요."

갑자기 들려오는 정보의 멈춤은 "너는?"이라고 다가왔다.

"아, 네. 서은주예요. 전 대학교 막 졸업하고 왔어요. 저도 그, 어, 버킷리스트였거든요."

말 중간 마디마다 머뭇거리며 눈치 보듯 그를 쳐다봤지만 내 대답이 어떻든 별로 개의치 않다는 표정으로 재형은 무심히 하늘을 바라보고 있었다.

"네, 그럼. 즐거운 여행 되시길."

말이 끝나자마자 그는 이 정도면 걸어갈 수 있겠다고 판단했는지 손으로 대충 머리를 가리고 자리를 떴다. 나도 이만 가야겠다 싶어 빗방울을 뚫고 그와는 일부로 반대 방향으로 길을 나섰다. 지도를 켜고 숙소를 향해 걸어갔지만, 예상 도착 시간이 한참 지나도 숙소는 보이지 않았고 갈수록 빗줄기는 거세지고 있었으며 휴대폰 배터리는 설상가상으로 다 달아가고 있었다. 그러던 중 갑자기 댕-댕-댕-하는 종소리가 울렸고 이는 불안감을 더욱 증폭시켜 발걸음을 재촉했다. 중앙 광장의 시계탑에서 나는 소리겠거니 하며 광장과 반대에 있는 숙소 방향으로 아예 뛰기 시작했다. 사람 하나 없는 거리가 조금 무섭게 느껴지던 찰나 주위를 둘러보니 어느새 중앙 광장에 도착해 있었다. 분명 반대로 가고 있었는데 나도 모르게 종소리가 나는 방향으로 왔나, 하며 도착한 광장엔 길에 없던 사람들 모두 이곳에 있었는지 화려한 옷을 갖춰 입고 가면과 가발을 쓴 채 삼삼오오 모여있었다. 오히려 잘 되었다 싶어 광장으로 들어섰다. 모든 게 끝났다는 듯 비는 갑자기 그쳤고 밤하늘은 맑게 개었다. 다들 파티에 온 사람들처럼 차려입고 있는 사이에 혼자 가면도 없이 있는 게 조금 민망해 두리번거리던 중, 흰 부리 가면을 쓴 남자 무리는 나를 보고 웅성거리더니 성큼성큼 다가오기 시작했다. 주변의 사람들도 수군거리기 시작했고, 흰 부리들은 나에게 가까워지고 있었다. 카니발의 밤엔 가면을 쓰지 않으면 불법인 건지 당황한 순간, 까만 공작 가면을 쓴 한 남자가 내 손을 낚아채고 그대로 우리 둘은 사람들 틈을 헤집고 달리기 시작했다. "잠시, 잠시만요!" 내 외침은 당연히 무시당했고 도망치는 우리 둘을 본 흰 부리들은 호루라기 같은 것까지 불어가며 무서운 기세로 쫓아오고 있었다. 그렇게 아닌 밤중에 '카니발 속 미니 프로그램'따위 같은 건지 당최 모르겠는 추격전이 시작되었다.

까만 공작의 손에 끌려 광장에서 벗어나 골목 사이를 달리며 보이는 풍경은 금방 전까지 혼자 걷던 베네치아와 조금 달랐다. 낡은 벽돌로 지어진 작은 집들과 곳곳에 보이는 운하를 끌어다 쓰는 우물은 아주 옛날의 마을에 와 있는 것 같았다. 또한 광장에 있던 사람들의 화려한 옷차림과 달리 거리에 보이는 사람들의 옷과 머리는 굳이 그렇게 꾸몄다고는 볼 수 없는, 옛 명화 속에서나 보던 차림새였다. 갑자기 찾아온 혼란스러운 상황에 머리가 지끈거리기 시작했다. 남자의 손을 뿌리치고 달리던 걸 멈추고는 턱 끝까지 올라온 숨을 몰아쉬었다. 남자는 그런 내 모습을 살피며 주위를 둘러보고 흰 부리들을 따돌렸음을 확인한 뒤 조심스레 나를 골목의 구석진 곳으로 데려갔고, 가면을 벗었다. 김재형이라고 소개한 그 남자였다. 달리면서 옷차림과 매고 있던 카메라 가방을 보고 진즉에 알아챘다. 어느 정도 호흡이 돌아오자 재형에게 무슨 상황인지 설명할 것을 요구하며 나는 화를 내기 시작했다. 그러자 그는 주머니에 꾸깃하게 넣어둔 종이 하나를 꺼내 보여주었고, 그 안에는 누가 봐도 나인 얼굴 그림과 재형의 얼굴 그림이 큼지막하게 박혀있었으며 골동품 가게 할머니의 얼굴도 아래에 작게 함께 있었다. 마치 추리영화에서나 봤을 법한 현상 수배지였다. 지갑

꺼내듯 주머니에서 나오는 이 수배지는 뭔지, 그 안에 내 얼굴은 왜 있는 건지 황당함을 감추지 못하고 그와 종이를 번갈아 바라보자 재형 또한 골치 아픈 표정으로 말을 이어갔다.

"잘 들어요. 나도 두 번 설명할 상황 아니니까. 나도 잘 모르겠지만, 내 생각엔 지금 여긴 중세 시대쯤인 것 같아요. 은주 씨랑 헤어지고 나서 이곳으로 왔고 보이는 사람마다 날 쫓아왔어요. 아마 이 수배지 때문이겠죠. 이 할머니랑 뭔가 관련이 있는 것 같은데, 혹시 거기서 뭐 훔쳤어요? 아님, 뭐 샀어요? 혹시 그 손에 들린 지도, 거기서 산 거 맞죠. 할머니 물건들이 절도한 물건이었는지 수배지 밑에 보면 골동품 가게에 있던 물건들 작게 그려진 거 보이죠."

'이 남자, 미쳤나 보다.' 입을 벌리고 있는 내 표정에 재형은 지금 본 인 또한 의지와는 상관없는 일이라는 듯 머리를 털었다.

"중세 시대라뇨, 그리고 제가 절도를 했다고요?!"

재형은 큰 소리로 되묻는 내 입을 손으로 황급히 막았고, 가까이 쫓아온 흰 부리 가면들은 우릴 다시 발견했다. 막다른 길에 있던 우리는 도망갈 궁리를 할 새도 없이 그들에게 잡혔다. 재형과 나는 밧줄로 우스꽝스럽게 묶였고 흰 부리 가면들의 호위를 받으며 함께 끌려갔다. 성벽을 따라 끌려가면서도 기가 차 헛웃음이 나왔다. 그 와중에 도착지로 보이는 진짜 중세 시대에나 있을 법한 성의 모습과 어느새 흰 부리 가면을 벗은 호위무사들의 모습에서 재형이 했던 중세 시대라는 말을 반박할 수 없었다. 성의 내부까지 들어간 우리는 지하 계단을 타고 끝까지 내려가 알 수 없는 언어의 호통과 함께 창살 감옥 안으로 내

동댕이쳐졌다. 감옥의 문은 잠겼고, 그곳은 물살이 간신히 창문을 넘지 않고 넘실거리는 운하 위 수중감옥이었다. 하늘에는 환하게 뜬 보름달이 보였다. 달이 하늘의 가장 위까지 올라간 것으로 보아 시간이 자정은 되었을 것이라 생각하다가 또 어쩌면 아닐 수도 있겠다고 생각했다. 모든 게 이상한 이 상황에서 달의 공전마저 확신할 수 없었다. "이게 진짜 무슨 일인데요.", "그러게요. 나도 몰라요." 따위의 의미 없는 서로의 책임을 묻는 말을 나누다 꼼짝없이 처음 보는 곳에 갇혔다는 사실을 부정할 수 없음을 깨닫고 누가 먼저랄 것 없이 큰 한숨을 푹 내쉬고 털썩 앉았다.

"우리 둘의 여행에 뭔가 공통점이 있었는지 되짚어나 보죠."

재형의 말에 나는 대답했다.

"공통점이야 많죠. 같은 곳에 왔고, 같은 숙소를 썼고, 아까 재형 씨가 말한 거처럼 같은 가게에서 물건을 샀네요."

약간의 비아냥이 섞인 내 말에 침묵은 이어졌고 우리 둘은 창문 너머 달을 멍하니 바라보았다. 그렇게 이어지던 영원할 것 같던 침묵을 깨고 재형은 말을 꺼냈다.

"그래도 같이 있어서 다행이에요. 여기서 혼자 이렇게 되었다고 생각하면."

그의 말에 그전까지 재형에게 날카롭게 말했던 나는 약간의 미안함을 느꼈다. 우린 다시 조용히 보름달과 물에 비친 그 이미테이션이 얼마나 닮았는가를 감상했다. 알고 보면 이쪽이 하늘이 아닐까 싶을 정도로 맑게 비친 달의 아름다움은 감옥에 갇혔다는 말도 안되는 상황에서 마음을 차분하게 만들어 주었다. 그도 나와 같은 마음이었는지, 재형은 흰 부리들에게 붙잡힐 때 혹 빼앗길까 품속으로 넣던 카메라를 만지작거리다 다시 운을 떼었다.

"사실 베네치아에 오는 건 엄마의 버킷리스트였어요. 사진작가이셨는데 동료 작가분이 다녀와서 정말 좋은 작품이 나오는 장소라고 했나 봐요. 엄마 장례를 치르자마자 무턱대고 어딘가로 떠나고 싶었어요."

재형의 담담한 말에 나는 그를 바라보았다. 눈동자가 참 예쁜 남자라고 생각했다.

"그럴 때가 있더라고요. 왜 나한테만 이런 일이- 하는 순간들이요."

"지금처럼요?"

조금은 뜬구름을 잡는 듯한 내 대답의 의도는 재형에게 잘 전달되었는지 그는 재치 있게 맞받아쳤고 우린 눈이 마주치자 웃음이 터졌다. 감옥에 갇혀있는 사람들에게 나올 수 없는 기분 좋은 웃음이었다. 나는 웃음을 멈추고 말했다.

"사실 저도 제 버킷리스트가 아니었어요. 친구가 작년에 죽었어요. 그 친구가 자기는 죽으면 가고 싶은 곳이 베네치아라고 했어요."

새삼 그 애의 이야기를 다른 사람에게 처음 꺼내 본다는 것을 떠올렸다.

"공통점이 또 있었네요."

재형의 말에 나는 천천히 고개를 끄덕였다. 밤공기를 훅 마시자 딱 알딸딸할 정도의 알코올이 들어온 듯한 기분이었다. 좀 더 솔직해져도 될 거 같았다.

"어쩌면 여기 이렇게 있는 게 최근 상황보다 나을 수도 있겠어요. 전 요즘에 진짜로 어디 갇힌 기분이었거든요. 더 원하는 건 없는데 계속 나아가야 하고."

"저도 그랬어요. 엄마가 살아있을 땐 못했던 말들이 계속 생각나고, 그 와중에 나는 어쨌든 현실은 살아가야 하고."

"맞아요. 꼭 죽고 나니까 하고 싶은 말들이 나오더라구요, 바보같이."

우린 서로를 마주 보았다. 그 순간, 나는 이 시간이 끝나지 않길 바라는 나 자신에게 놀랐다. 그동안의 나는 의지할 사람이 필요했던 걸까, 분위기에 취한다는 건 이런 걸까, 나는 대화가 끊기지 않게 말을 이었다.

"사람들이 왜 여행을 떠나는지 알 거 같기도 해요. 여기 와서 겨우 이틀간의 내가 이십몇년간의 나보다 새로워요."

"좋네요. 저도 그래요. 스스로 이런 사람인가 싶더라고요. 베네치아는 신기한 곳인가 봐요."

"공통점이 정말 또 있네요."

내 말에 재형은 미소를 짓고 말했다.

"사람 사는 건 다 똑같대요. 어릴 땐 정말 똑같나 했는데, 갈수록 그 말이 와닿더라고요. 살아가다 죽는 과정까지 크게 보면 사람 사는 거 다 똑같은 것 같기도 하고. 꼭 나한테만 생기는 것 같은 일들에 그 말을 생각하면 위로가 되더라고요."

나는 그의 말에 천천히 고개를 끄덕였다. 잠깐의 침묵이 흘렀지만, 그 침묵은 전혀 어색하지 않았다. 나는 오랜만에 내가 좋아하던 것들, 가령 여름밤에 보는 공포영화나 갓 나온 소시지 빵이나 낭만적인 천문학 이야기 같은 것들을 떠올렸다. 그리고는 내가 가장 좋아하는 이야기를 재형에게 말해주고 싶어졌다.

"시간이라는 건 인간이 만든 환상이라고 하더라고요. 사실 시간은 존재하지 않는데 우린 4차원을 인지하지 못하고 3차원의 공간만 인지해서 시간을 만들어서 현재, 과거, 미래를 산다고 착각한대요. 실재하는 건 순간밖에 없대요."

"그렇다면 순간이란 건 진짜 소중한 거네요. 사랑으로만 채우기도 아까운 거였네요."

우리의 눈 마주침은 길어졌다. 이 남자는 나를 위해 누군가 잠시 보내준 사람일까 생각했다. 혹은 이 모든 건 꿈이 아닐까 생각했다. 그때 창살에 곤돌라 두 대가 부딪혔다. 곤돌라에 탄 여성은 열쇠로 창살을 열어주었다. 골동품 가게 할머니였다. 우린 어리둥절하다가 남은 빈 곤돌라를 타고 감옥을 나왔고, 할머니는 운하의 한 방향을 가리킨 뒤 떠나버렸다. 그렇게 아무것도 묻지 않고, 어디로 가야 할지, 가는 건지도 모른 채 끝을 향해 곤돌라를 타고 갔다.

그렇게 된 거였다.

이 여행에서 돌아온 지 2년이 지난 지금, 나는 회사에 다니고 있다. 사랑하며 살아가기도 아까운 순간들은 이 순간에도 빠르게 지나가고 있다. 여전히 문득 어디론가 떠나고 싶을 때는 있다. 그럴 땐 항공권 사이트를 들락거리기도 하고, 상사가 짜증이 날 땐 친구를 만나 상사 욕을 하며 스트레스를 풀기도 하며 사랑하는 이의 머리를 쓰다듬고 온 힘을 다해 꽉 껴안아 보기도 한다. 지금이 좋으면 좋다고 말하고, 슬프면 슬프다고 말한다. 누군가 예뻐 보이면 재지 않고 예쁘다고 솔직하게 말해준다. 그리고 나는 가끔 베네치아에서의 그날 밤을 떠올린다.

네버랜드가 사라지면
피터팬은 어디로 갈까

추효림

추효림　　어린아이 같은 호기심으로 세상을 살아가고 있습니다.
어른이 되고 싶지 않았습니다. 유치원에서 한 놀이가 어제 제출한 과
제보다 더 선명합니다.
여전히 드라마보다 동화책을 더 좋아합니다.
하지만 시간을 거스를 수는 없었습니다. 그러니, 이왕 어른이 되어 버
린 김에 더 멋지게 자라나 보려 합니다.

다빈은 황당할 수밖에 없었다. 고향으로 돌아오자마자 처음 마주한 게 노인들을 가득 실은 흙투성이 트럭이었기 때문이다. 다빈은 듣도 보도 못한 광경을 애써 모른 체하며 고개를 돌렸다. 대학 기숙사에 가기 전까지 평생 살던 동네에서, 저런 노예 수송선 같은 건 본 적이 없었다. 그때 짐칸에 탄 할아버지 한 명이 손에 확성기를 쥐고 외쳤다.

"내법래동 재개발을 반대한다!"

내법래동이라는 말에 다빈의 귀가 번쩍 뜨였다. 다빈은 곧장 털털거리며 멀어져 가는 트럭을 쫓아 달렸다. 그러는 중에도 트럭 위의 노인들은 계속 '반대한다, 반대한다' 하고 외치고 있었다. 매미 울음 대신 그들의 목소리가 왕왕 울렸다. 트럭이 사람들을 태우고 천천히 간 덕에 다빈은 금방 트럭을 따라잡았다. 트럭 앞판에는 벌건 매직펜으로 할아버지의 외침과 같은 말이 적힌 박스가 큼지막하게 붙어 있었다. 그러나 박스보다 다빈의 눈길을 잡아끄는 게 있었다. 바로 운전석의 익숙한 실루엣이었다. 그랬다. 거기에는 친구 은지가 있었다.

"어? 야, 은지야!"

다빈은 은지를 힘껏 불렀지만 울려대는 마이크 소리에 묻혀 닿지 못했다. 얼이 빠진 다빈을 뒤로 하고 트럭은 코너를 돌아 사라졌다. 낯선 일들의 연속에 얼이 빠진 다빈은 골목에 멀거니 섰다. 다빈의 머릿속에는 물음표들이 하나씩 떠올랐다. 내법래동 어르신들은 왜 우리 동네까지 와서 시위 비슷한 걸 하고 계시며, 또 은지는 왜 거기 있는가. 그리고 이 모든 의문들은 곧 내법래동이 사라질지도 모른다는 생각으로 이어졌다. 다빈은 어린 시절의 전부였던 그 내법래동으로 발걸음을 옮겼다. 그곳으로 가면 은지도, 트럭도, 재개발에 대한 이야기도 모두 들을 수 있을 거라는 옅은 확신이 들었다.

내법래동 특유의 좁다란 골목에 들어서자, 다빈은 자연스레 어린 날들의 기억을 떠올렸다.

-

엄마 아빠가 모두 회사에 가고 나면 집에는 늘 다빈 혼자였다. 그날도 똑같았다. 다만, 평소보다 조금 더 지루했을 뿐이었다. 일곱 살의 다빈은 무작정 집 밖으로 나섰다. 거실을 지나 현관을 나서자, 포근한 햇살과 부드러운 산들바람이 다빈을 반겼다. 발걸음은 신이 난 만큼 빨라졌다. 그렇게 한참 동네를 누비던 다빈은 하늘이 붉어질 무렵 낯선 골목 어귀에 들어섰다. 동네의 다른 곳은 주말에 엄마 아빠와 한 번쯤 지나쳐 봤지만, 네발자전거가 겨우 지나갈 만큼 좁은 골목은 본 적이 없었다. 골목을 빠져나오자 낯선 놀이터가 나왔다. 거기에서 더 나아가지 못하고 망설이던 중에 만난 게 은지였다.

혼자 그네에 앉아 발끝만 바라보던 다빈은 미끄럼틀 쪽에서 뭔가 부딪히는 소리를 들었다. 다빈은 그쪽으로 후다닥 달려갔다. 누군가 또 있나 하는, 궁금하면서도 반가운 마음에서였다. 거기에는 다빈 또래 정도 되어 보이는 은지가 넘어져 있었다. 다빈은 그런 은지를 잡아 일으켜 주었고, 은지는 자신을 일으켜 준 다빈을 어른스럽다며 좋아했다. 어른스러운 게 뭐냐고 묻는 다빈에게, 은지는 누군가를 돕는 거라고 대답했다. 처음 보는 사이임에도 자신을 망설임 없이 일으켜 준 게 마음에 들었다는 거다. 은지는 그러면서 자신도 남을 돕는 멋진 어른이 되는 게 꿈이라며 신나게 떠들어 댔다. 어른이라고는 늘 바쁘게 일만 하는 부모님만 봐 온 다빈에게 어른이 되고 싶다는 은지의 말은 그저 신기하게만 들렸다.

다른 동네의 또래를 만났다는 사실에 조금 들뜬 둘은 집에 가야 한다는 걸 잠깐 잊고 어울려 역할놀이를 하기 시작했다. 은지는 낯선 곳에 떨어진 다빈을 요정이라고 불렀다. 자신의 동네에 갑자기 찾아온 신비하고 어른스러운 조력자라는 의미에서였다. 다빈은 은지를 공주라고 불렀다. 호기심 가득하고 귀여운 공주 말이다. 요정과 공주는 놀이터에서 자기들만의 모험을 떠났다. 둘은 사람들을 모두 행복하게 해 줄 수 있다는 전설의 보물을 찾아 이곳저곳을 돌아다녔다. 미끄럼틀 꼭대기까지 올라가기도 하고, 모래밭을 파기도 했다. 둘은 시간 가는 줄 모르고 함께 어울렸다. 그러다 한참이 지나도 어린 딸이 돌아오지 않자, 은지의 부모님이 놀이터로 달려 나왔다. 은지는 부모님에게 다빈을 데려다 줄 수 없겠냐고 물었고 덕분에 다빈은 동네로 돌아갈 수 있었다. 흙투성이가 된 채로 은지 부모님과 함께 집에 돌아온 다빈은 부모님께 꾸중을 들을 수밖에 없었다.

하지만 다빈은 그날의 즐거움을 잊지 못했다. 부모님이 출근하시면 다시 좁은 골목 너머 놀이터를 찾아갔고, 거기서 약속이라도 한 듯 은지와 만났다. 그때부터 둘의 모험은 끊이질 않았다. 초등학교를 졸업하고 나서도 둘은 그곳에서 모험을 떠났다. 다만 모험이 조금 더 구체적으로 변했을 뿐이었다. 중학생이 된 둘이 찾아나선 전설의 보물은 장래 희망이 되기도, 삶의 행복이 되기도 했다. 그때 둘은 놀이터를 뛰어다니는 대신 서로 오랜 시간 같이 앉아 이야기를 나누는 방법으로 보물을 찾아 여행했다. 이야기가 오간 끝에 보물을 찾는 날도, 근처에서 그만둔 날도 있었다. 가끔 놀이터에 사람이 없을 때면 둘은 유치하다고 깔깔대면서도 서로 요정이니 공주니 불러 가며 남몰래 미끄럼틀에 올라타기도 했다. 그런 나날들은 고등학생이 되어서도 이어졌다. 이 모든 시간이 쌓여 놀이터는 둘의 보물섬이 되었다. 둘은 매일 그곳에서 함께했다. 다빈이 서울에 있는 대학에 합격해 기숙사에 들어가기 전까지 말이다. 동네를 떠나고서도 다빈의 마음은 여전히 어린이인 채로 놀이터에 머물렀다. 그런 놀이터가, 그런 내법래동이 사라진다는 건 다빈에게는 꿈에도 생각지 못한 일이었다.

—

옛날 생각에 잠겨 걷다 보니, 어느새 다빈은 놀이터 입구까지 와 있었다. 입구 부근에 버티고 섰던 거대한 그네는 이제 조금 아담해 보였다. 날치마냥 번뜩이던 그네의 쇠사슬 줄에도 간간이 녹이 슬어 있었다. 다빈이 앉자 그네는 삐그덕 소리를 내며 버거운 기색을 보였다. 다빈은 맞은편의 미끄럼틀에 새로 생긴 낙서들을 바라보다 핸드폰 자판을 두들겼다. 은지에게 연락할 생각이었다. '너 지금 어디야'를 전송하기 위해 엔터를 누르려던 순간, 익숙한 목소리가 귀에 꽂혔다.

"다빈아!"

다빈의 옅은 확신은 순식간에 현실이 되었다. 연락하려던 차에 눈앞에 은지가 나타난 것이다. 덕분에 다빈은 하마터면 핸드폰을 놓칠 뻔했다. 은지는 늘 그랬다. 다빈이 먼저 놀이터에 나와 혼자 있을 때면 곧바로 은지가 귀신처럼 나타났다. 동네에 돌아온다고 지하철에서 미리 연락은 해 뒀지만 또 이렇게 불쑥 나타날 줄이야. 은지는 제멋대로 다빈의 어깨에 팔을 감으며 달려들었다.

"지나가다 보고 뛰어왔지! 오는 데 안 힘들었어? 너무 오랜만이다! 근데 이제 좀 안 놀랄 때도 되지 않았냐?"

"그러게 말이다. 좀 익숙해지든가 해야지. 아, 그건 그렇다 치고, 너…… 트럭 운전해? 아까 우리 동네 지나갔지? 할아버지 할머니들 싣고. 그거 뭐야?"

트럭 이야기를 듣자마자 은지는 곧바로 팔을 풀더니 짐짓 심각한 표정을 했다. 다빈은 보기 드물게 내려간 은지의 입꼬리에 약간 놀랐다.

"아, 말하려고 했어. 봤을 거 같긴 한데, 우리 동네가 재개발 구역이 된대. 무슨 초고층 아파트 단지가 들어온다더라. 그래서 우리 동네 어르신들이 시위 비슷한 걸 하고 계셔. 근데 잘 안 돼서 내가 도와드리고 있어. 어르신들 봉사 하면서 알게 된 건데, 그분들 여기 평생 사셨거든. 계속 맘에 걸리더라구."

은지가 더 말하지 않아도 다빈은 어렴풋이 알고는 있었다. 은지는 자신이 어린 시절부터 놀이터에서 찾아 헤매던 보물을 찾은 것이다. 은지에게 사람들을 모두 행복하게 해 줄 수 있다는 그 전설의 보물은 누군가를 돕는 일이었다. 그래서인지 은지는 중학교 봉사 동아리부터 시작해 고등학교, 대학교까지 봉사 동아리나 비슷한 활동을 전전하며 줄곧 여러 사람을 도와 왔다. 다빈은 조용히 고개만을 끄덕였다. 그런데 은지는 말을 하다 말고 다빈을 바라보며 입술만 잘근잘근 씹었다. 무언가를 망설일 때 나오는 은지 특유의 버릇이었다. 다빈을 향하고는 있지만 양옆으로 흔들리는 두 눈은 누가 봐도 할 말이 있어 보였다. 다빈은 바로 용건을 묻기보다는 조금 고민해 보기로 했다. 이 정도로 말을 망설이는 걸 보면 단순히 '파이팅!'같은 응원을 바라는 건 아닐 것이다. 아마 어르신들과 함께 시위를 준비하는 건 여러모로 손이 많이 가는 일이리라. 좀 전에 본 낡은 트럭과 박스가 스치듯 떠올랐다. 제대로 된 현수막도 아닌 박스를 달고 달리던 트럭은 움직이는 것도 신기할 정도로 낡아 있었다. 현수막을 달고 트럭을 고칠 돈이 필요한 걸까? 다빈은 자기도 모르게 주머니에 손을 넣어 지갑을 만지작거렸다. 사실 다빈의 주머니 사정은 그닥 넉넉하지 않았다. 다빈은 절로 한숨이 나왔다. 친구가 필요할 때 도와주지도 못하는 자신이 조금은 실망스러웠다. 미안하다는 말을 꺼내려 했지만 은지가 먼저 침묵을 깼다.

"그…… 있잖아, 재개발 되면 여기도 없어질 거래."

은지는 당연한 소리를 했다. 내법래동 전체가 재개발 구역이라면 놀이터와의 작별도 피할 수는 없을 것이다. 다빈은 신발 끝에 박아 두었던 시선을 주위로 돌렸다. 내법래동과 놀이터는 많이 달라져 있었다. 새로운 낙서들로 뒤덮인 미끄럼틀, 이음새에 이끼가 자라난 시소, 녹이 슨 그네, 그리고 이제는 자신보다 키가 커진 은지. 은지의 어깨 너머로는 내법래동의 골목이 보였다. 옹기종기 서로 붙어 있는 자그마한 주택들 때문에 폭이 좁아진 골목이 눈에 들어왔다. 내법래동에서는 꼭 붙어 있는 집들만큼이나 주민들의 생활도 서로 달라붙어 있었다. 하지만 그렇게 모여 있던 주택들 사이에는 이제 조금씩 틈이 생겼다. 아마 단단하게 벽돌 사이를 이어 줬던 시멘트도 세월이 흐르며 점차 닳아 사라진 게 분명하다. 벌어진 건물들의 틈으로 차디찬 바람이 불어댔다. 다들 어디로 갔는지 바람소리 말고 다른 소리는 들리지 않았다. 오는 길에도 사람을 마주치지는 못한 것 같았다. 다빈은 어린 날들을 떠올렸다. 놀이터에서 놀다 보면 동네 어른들이 나와서 둘에게 간식을 쥐어주시거나 찬바람이 불면 겉옷을 가져다 주시곤 했다. 하지만 다빈은 그런 어른들이 그저 둘이 주인공인 세상의 들러리라고 생각해 왔다. 그래서 어른은 주인공이 될 수 없을 것만 같았고 더욱 어른이 되기가 싫었다. 어딘가 모르게 마음 한 구석에 무거운 돌이 얹힌 기분이 들었다. 이제는 다빈도 주인공이 될 수 없는 나이가 되었지만, 놀이터에서만은 여전히 주인공이던 그때로 돌아갈 수 있었다. 모습이 변하긴 했어도 다빈은 이곳을 어떻게든 지키고 싶었다. 그러나 별다른 방법이 떠오르지 않았다. 은지는 그런 다빈의 마음을 읽기라도 한 듯 말했다.

"나도 여기가 안 없어졌으면 좋겠거든. 실은 그래서 시위를 도와드리고 있기도 해."

"그…… 시위라는 거 말인데. 내가 같이 하면 좀 도움이 될까?"

다빈은 놀이터를 지키기 위해서라면 뭐든 할 수 있을 것 같았다. 방법이 이것 뿐이라면, 일단 해 보는 수밖에 없었다. 나름 이기적인 이유로 한 대답이었다. 그런데 그 대답에 은지의 표정이 차츰 밝아졌다.

"오, 좀 든든한데! 그럼 두말하기 없기다? 너 오늘 시간 비지? 그럼 잠깐 나 좀 따라와 줘야겠다. 먼저 도착하면 이기는 거다!"

"어디 가는데? 야! 같이 가야지!"

둘은 좁은 골목을 내달리기 시작했다. 하늘에 번지는 주홍빛은 내법래동 주택들의 외벽을 타고 흘러내려 은지와 다빈이 달리는 길을 온기로 채워 갔다.

-

둘은 자그만 2층짜리 건물 앞에 엇비슷하게 도착했다. 은지의 손이 먼저 문고리를 잡았다. 은지는 땀을 줄줄 흘리면서도 잇몸을 드러내며 웃어 보였다.

"아싸! 이겼다!"

"어휴, 빠르긴 빠르네. 근데 뭐 시위한다더니, 웬 경로당이야?"

다빈의 말대로 문 옆에는 코팅이 거의 벗겨진 나무 간판에 "내법래동 경로당"이 큼지막히 적혀 있었다. 해명하라는 듯한 태도에도 은지는 그저 헤실거리며 대답했다.

"그게, 아무래도 끝까지 남아서 지키시겠다는 분들이 여기 계신 분들 뿐이라… 경로당을 우리 비상대책위원회 거점으로 삼기로 했어."

경로당 간판 위에 '내법래동 재개발 반대한다'라고 붙은 현수막이 바람에 위태롭게 흔들렸다. 다빈은 헛웃음이 터져 나오려는 걸 간신히 참았다. 비상대책위원회? 거점? 시위에 참여할 인원이 어르신들뿐인 건 백번 양보해서 이해한다. 그러나 다 떨어져 가는 동네 경로당이 비상대책위원회라는 건 조금 웃겼다. 은지 스스로도 그건 아는지 머리를 긁적이며 문고리를 잡아 열었다.

"일단 들어와. 좀 좁긴 하지만……."

"은지 왔냐! 야채전 부쳤다! 와서 손 씻치고 먹어라!"

"고맙습니다! 근데 할머니, 도와줄 친구 왔으니까 잠깐 나와 보셔요."

은지의 한 마디에 할머니 한 분 말고도 어르신들 열댓 분이 몰려왔다. 그 중에는 분명 다빈이 낮에 트럭에서 본 확성기 할아버지도 있었다. 다들 문 앞에 모여 다빈만 뚫어져라 바라봤다. 다빈 역시 그들을 바라봤다. 어딘가 신기하게 바라보는 얼굴들의 뒤로는 빛바랜 소파와 두꺼운 텔레비전이 보였다. 방바닥의 노란 마루 위에 즐비한 옛 가구들은 마치 명절 할머니 댁이라도 온 듯한 느낌을 줬다.

"어, 안녕하세요? 저는 그, 은지 친구 다빈이라고 해요. 오늘부터 같이 도와드리려고 왔어요."

"오늘부터? 근데 어쩌냐. 낼 모레 도청 가 보구 안되믄 흩어질라 캤는디."

“네?”

쭈뼛거리며 소개를 마치기 무섭게 확성기 할아버지가 김 빠지는 이야기를 꺼냈다. 다빈은 난처한 눈으로 은지 쪽을 쳐다봤다. 아니나 다를까 은지는 이제야 생각났다는 듯 헉 소리를 내며 설명을 늘어놓았다. 이야기를 들어 보니 상황이 생각보다 훨씬 어려웠다. 어찌어찌 재개발을 미뤄 보긴 했는데, 조금 젊은 사람들끼리 어르신들을 제외하고 주민대표회의를 만들어 재개발 승인을 해 버렸다는 것이다. 이대로라면 재개발 시행 인가가 내일 모레 금요일에 날 판이었다. 은지는 이미 주민들도 찬성한 마당에 어르신들끼리 억지부린다고 생각할까 봐 겸사겸사 다빈을 부른 거라고 했다. 도청 쪽에 가서 시위할 때 젊은 사람이 한 명이라도 더 있으면 설득력이 있지 않을까 해서 말이다. 사실 다빈이 하루이틀 돕는다고 해서 역전될 일이 아니었다. 하지만 은지와 어르신들, 그리고 작은 보물섬을 두고 물러나고 싶지 않았다. 다빈은 생각했다. 하면 되지 않을까? 아니, 정확히는 하면 되길 바랐다. 다빈은 어디선가 들은 말을 생각했다. ‘바라는 대로 이루어진다’. 다빈은 간절히 바라는 마음으로 움직이기로 했다. ‘어떻게든 되겠지’ 하는 생각이 다빈의 머릿속을 채웠다.

“음…… 확실히 많이 어렵긴 하네. 그래도 밑져야 본전이지. 내가 도울 수 있으면 뭐든 해 볼게.”

“아이고 고마워요. 하나라도 더 있으면 우리야 좋지 뭐.”

야채전 할머니와 어르신들은 구겨진 미소를 지으며 대답했다. 다빈은 가볍게 인사하고, 할 일을 알려 주겠다는 은지를 따라 방으로 향하려는 참이었다.

쾅쾅쾅! 다빈이 야채전 그릇에 손을 뻗으려는 순간, 문 밖에서 요란한 소리가 들렸다. 다빈은 그 자리에 멈춰 섰고, 은지는 문 쪽으로 튕기듯 달려나갔다. 소파에 앉아 있던 어르신들도 어이쿠 하며 몸을 일으켰다. 은지가 연 문 앞에는 뿔테 안경 남자가 양복을 빼 입고 서 있었다. 은지는 익숙하다는 듯 한숨을 내쉬었다.

"오늘은 되게 시끄럽게 두드리시네요."

"내가 노크한 게 아닙니다."

쾅! 남자의 말이 끝나기 무섭게 벽 쪽에서 또 소리가 들렸다. 다빈은 어르신들과 커튼을 젖히고 창 밖을 내다봤다. 서른 명쯤 되어 보이는 사람들이 현수막을 떼어 내고 벽을 두들기고 있었다. 각목으로, 야구배트로, 또 누군가는 구둣발로 사정없이 경로당의 외벽을 때렸다. 그러면서 뭐라 소리치는 듯 했는데, 잘 들리지는 않았다. 착각인지 진짜인지 건물이 흔들리는 것 같은 기분이 들었다.

"네? 저 사람들 뭐예요?"

"선생님들 때문에 사업 시행 인가가 늦어졌다고 다른 동에서 와서 난동 피우는 거 같아요. 이건 좀 아니다 싶어서 저도 말렸는데, 말을 안 들어서 지금 경찰 불렀어요."

바깥의 난리통 속에서 누군가 외쳤다.

"아니 거기 아파트 단지 들어서면 땅값도 오르고 좋잖아요! 뭣 때문에 늙은이들이 그렇게 애써서 인가까지 미루셨대? 다같이 먹고 살자니까 끝까지 합의금 받고 싶어서 그래요?"

"아들 딸 용돈도 끊겨서 돈 받을 구석이 합의금밖에 없으니까들 그러지 못난 늙은이들!"

다빈은 주위를 둘러봤다. 확성기 할아버지는 고개를 푹 숙이고 있었고. 야채전 할머니는 울상을 하고 있었다. 다빈은 곧장 문 앞으로 달려가 은지가 잡고 선 문을 닫으려고 했으나, 뿔테 안경 남자가 문고리를 턱 잡았다.

"이것 보세요. 저도 이런 말 하고 싶지 않은데, 자꾸 버티시니까 이렇게 되는 거잖아요. 할 만큼 하셨습니다. 저희도…… 그, 합의금, 드릴 수 있는 선에서 최대한 해드릴 테니까요. 서로 얼굴 붉히는 건 오늘이 마지막이면 좋겠네요."

말을 마친 남자가 먼저 문을 닫았다. 은지와 다빈은 서로를 쳐다봤다. 경로당 안에는 잠시 동안 무거운 침묵이 흘렀다. 들리는 소리라고는 밖에서 무언가를 부수는 듯한 소리, 고함, 뿔테 안경 남자의 그만하라는 외침, 그리고 얼마 지나지 않아 울린 사이렌이 전부였다. 경찰의 사이렌 소리가 멀어져 가자, 그제야 침묵은 바깥으로 옮겨 갔다. 경로당 안의 사람들은 안도인지 탄식인지 모를 한숨들을 뱉어 냈다. 은지도 한숨을 푹 쉬고는 입술을 잘근거리며 계속 말이 없었다. 조금 전 살짝 감돌던 활기는 사라진 지 오래였다. 식탁 모서리에 놓인 야채전은 차게 식어 있었다. 다빈이 눈치를 보다가 입을 떼었다.

"그, 누구였어요?"

바닥에 불편하게 앉아 있던 할머니 한 분이 대답했다.

"내법래동 재개발 전담하고 있는 공무원이시란다. 인가 나기 전에,

주민대표회의가 저 사람하고 같이 몇 번 왔었어야. 하다가 안 되겠으니까 지들끼리 그냥 내 버린 거지.”

“그래도 저렇게까지 하면 안 되는 거 아녜요? 남의 건물을…… 그리고 자기들이 뭘 안다고 함부로 말해요?”

“허허, 그래도 이렇게 혈기 왕성한 젊은이 하나 더 있으니 의지가 되고 그러네!”

다빈의 말에 사람들은 하나 둘씩 다시금 너털웃음을 쳤다. 그저 욱해서 한 말이라 다빈은 귀가 빨개졌지만, 분위기가 좀 풀리니 마음이 살짝 놓였다. 할머니는 다시 야채전을 데웠고, 사람들은 전을 나눠먹으며 옛날 내법래동 이야기로 와자지껄해졌다. 다빈은 거기서 내법래동 사람들의 이런저런 이야기를 들을 수 있었다. 다빈은 그 중 내법래동의 골목이 좁은 이유에 대한 농담이 제일 웃겼다. 집들도 사람들처럼 친해지려고 서로 가까이 붙다가 그만 골목이 좁아졌다는 이야기였다. 한창 이야기가 오가는 와중에 다빈은 은지 쪽을 흘깃 보았다. 드물게 말이 없던 은지는 사람들의 웃음소리를 듣더니 자기도 헤헤 웃으며 사람들 사이로 슬쩍 와 앉았다. 그런데 자연스럽게 다가온 은지는, 폭탄 같은 제안을 던졌다. 모레 가기로 했던 도청 시위를 내일 당장 나가자는 거였다. 은지는 계속 사람들한테 미운 이야기 듣게 해 드리기 죄송스럽기도 하고, 다빈도 있으니 힘이 될 거라며 이야기를 늘어놓았다.

“내일? 그래, 뭐 늙은이들이 뭐 할 일들이 있겠나. 쇠뿔도 단김에 빼랬다구.”

"나는 좀 이른 거 같긴 한데, 저놈들 헛소리 하루 더 듣느니 그냥 내일 갈란다."

다빈은 친구의 갑작스러운 제안에 놀랐지만, 어르신들은 그렇지 않은 모양이었다. 다들 편안한 얼굴색으로 자리를 정리하고 있었다. 그모습에 다빈은 이상하게 안심이 되었다. 그날처럼, 둘이 함께라면 뭐든 할 수 있을 것 같았다.

"예전부터 앞뒤 안 재고 하고 싶은 거 다 해 보더니 여전하구만. 난 네가 이렇게 뭐 하나 할 줄 알았다."

"야, 앞뒤 정도는 쟀거든. 그럼 다들 괜찮으시면, 내일 아침 아홉 시에 도청에서 뵙는 겁니다!"

그날 다빈은 쉽게 잠에 들 수 없었다. 이렇게 짧은 시간에 많은 사람들과 만난 게 얼마만이던가. 그리고 은지의 모습이 잊혀지지 않았다. 자신이 그렇게나 찾아 헤매던 전설의 보물처럼, 사람들과 함께 반짝반짝 빛나고 있던 은지. 다빈은 정말 스스로가 바라던 어른이 된 것만 같은 친구가 자랑스러웠다. 다빈 역시 경로당의 어르신들과 순식간에 가족이 된 것만 같았다. 다빈 안의 무언가가 가볍게 흔들렸다. 마음 한켠의 돌이 살포시 밀려나는 느낌이 들었다. 어느새 다빈의 눈꺼풀은 스르르 내려갔다.

-

여름날의 목요일 아침, 햇살은 유달리 따가웠다. 이따금씩 보던 도청 건물이 이렇게 거대해보이기는 처음이었다. 비상대책위원회는 도청 앞에 모였다. 은지가 뜬눈으로 밤을 새며 만들어 준 머리띠를 쓰고 말이다. 은지는 다빈의 손을 꼭 잡았다. 그러고는 짙은 다크서클 위로 윙크를 해 보였다. 저는 판다 같은 몰골을 하고서 남을 달래려는 그 모습에 다빈은 피식 웃었다.

어느새 초침과 분침은 약속된 시간을 향해 달려갔고, 슬슬 마지막 외침을 시작하기 위해 모두 숨을 들이쉬었다. 그때, 저만치서 누군가가 먼저 외쳤다.

"합의금이 그렇게나 받고 싶냐!"

"노친네들은 집에나 가라!"

익숙한 윤곽들이었다. 지난 밤의 옆동네 사람들. 경찰이 오기는 했지만 그냥 진정시킨 후 돌려보낸 모양이었다. 어제까지만 해도 뭐든 할 수 있을 것 같았는데 막상 그들을 다시 마주하니 입이 떨어지지 않았다. 그때, 다빈의 눈에 확성기를 쥔 손을 올리지도 내리지도 못하고 있는 김 할아버지의 모습이 들어왔다. 다빈은 할아버지를 처음 봤던 순간이 떠올랐다. 크지는 않지만 단단하게 울리던 할아버지의 목소리는 매미 울음을 가릴 정도로 선명했다. 다빈은 그 목소리를 다시 한 번 듣고 싶었다. 그러고 나면 다빈 뿐만 아니라 모두 조금은 용기를 얻을지도 모른다는 생각이 들었다. 다빈은 할아버지에게 외쳤다.

"할아버지! 우리 잘못한 거 없어요. 우리 동네, 우리 아니면 누가 지켜요? 오늘 마지막일지도 몰라요. 힘내 보자구요! 파이팅!"

김 할아버지는 잠깐 머뭇거리다가, 다빈과 눈을 맞추었다. 그리고 이내 손때 묻은 확성기를 번쩍 들어올렸다.

"내법래동 재개발을, 반대한다!"

"반대한다, 반대한다!"

약속이라도 한 듯 다빈과 은지, 그리고 다른 어르신들이 동시에 따라 외쳤다.

"우리 동네 사람들의 이별을 반대한다!"

이번에는 야채전 할머니가 외쳤다. 곧바로 다빈과 은지가 따라 외쳤다.

"반대한다, 반대한다!"

"쟤들은 뭐야? 손녀라도 되나?"

"어이, 쓸데없는 짓들 말고 가라! 더위 먹었냐!"

도청 건너편의 목소리가 쩌렁쩌렁 울렸다. 다빈과 은지의 목은 타들어가고 등줄기에는 땀이 흘렀다. 햇살은 이제 따가움을 넘어 뜨거워지고 있었다. 발을 딛고 선 아스팔트에서는 아지랑이가 일렁거렸다. 목소리도 아지랑이에 실려 같이 일렁이는 듯 했다. 옆의 김 할아버지 역시 땀을 뻘뻘 흘리고 계셨다. 다빈은 슬슬 불안해졌다. 이대로 가면 다들 정말 큰 일이 날 것만 같았다.

"은지야, 우리, 마지막으로 한 번만 더 외칠까?"

"어, 그게 좋겠다. 대신 큰 소리로 하는 거다! 하나, 둘…!"

삐이익-! 날카로운 소리가 귀를 때렸다. 건너편의 사람들 사이로 경찰들이 호루라기를 불며 달려오고 있었다. 옆동네 사람들 중 몇몇은 다빈과 은지 쪽을 가리키며 다른 경찰에게 무언가 말하고 있었고, 그는 고개를 연신 끄덕거리며 작은 수첩에 그걸 열심히 받아 적고 있었다. 어느새 경찰들은 비상대책위원회가 있는 곳까지 달려왔다. 무슨 일이냐고 묻는 다빈과 은지에게 경찰은 노인 학대 신고를 받고 왔다고 답했다. 시위의 잘잘못을 따지기 이전에, 연세가 있으신 분들을 이 땡볕에 세워 두는 건 학대나 다름없다며 이야기를 늘어놓았다. 김 할아버지와 다른 어르신들이 연달아 우리는 괜찮다고 말해도 헛수고였다. 미간에 손을 짚은 경찰은 마음은 알겠지만 돌아가지 않으면 노인 학대로 접수하는 수밖에 없다며 고개를 저었다. 다빈은 꼴 좋다는 듯 실실 웃는 옆동네 사람들을 보자 화가 치밀었다. 귀가 빨개진 게 더워서인지 화가 나서인지 알 수 없었다.

다빈과 은지가 경찰과 실랑이하는 동안에도 어르신들은 계속해서 외쳤다. 도청 앞은 점점 더 뜨거워졌다.

"내법래동 재개발을 반대한다!"

"반대한다!"

한참을 외치던 비상대책위원회의 목소리는 은지가 김 할아버지의 확성기를 손으로 지그시 누르면서 사그라들었다. 어리둥절해하는 어르신들을 향해 은지는 고개를 저었다. 다빈은 은지의 속뜻을 누구보다 빠르게 알아차리고는 경찰들에게 이야기했다.

"알겠어요. 저희 들어갈 테니, 저분들도 이제 신경 쓰시지 말라고 해 주세요."

다빈은 은지가 얼마나 내법래동 재개발을 막고 싶어하는지 알고 있었다. 하지만 은지가 그만큼 어르신들을 소중하게 생각한다는 사실 역시 모르지 않았다. 은지는 확실하지 않은 스스로의 소망보다 눈 앞에 선명하게 보이는 다른 사람들이 더 소중했던 것이다. 돌아가는 길에 은지와 다빈은 아무 말도 하지 않았다. 대신 어깨동무를 하고 서로의 어깨를 토닥였다. 김 할아버지와 야채전 할머니 역시 서로를 토닥였다. 뜨거웠던 태양은 도청 건물 뒤로 천천히 넘어갔다.

-

솔직히 놀라운 결과는 아니었다. 여름비를 머금은 먹구름과 함께 내법래동으로 중장비들이 몰려 왔다. 그리고 소나기를 피하듯 비상대책위원회 회원들과 은지는 다빈의 동네로 이사를 왔다. 다들 원하는 결말이 나지 않아 아쉬워하긴 했지만, 크게 슬퍼하는 사람은 없었다. 아마 말은 하지 않았어도 모두 조금씩은 예상했을 것이다.

그날은 하루종일 비가 내렸다. 인터넷과 텔레비전에서는 곧 장마가 시작된다는 뉴스가 흘러나왔다. 다빈과 은지는 재개발 현장에 가서 놀이터에게 작별 인사를 하기 위해 만났다. 공사 현장에 직접 들어갈 수는 없으니 둘은 근처의 야트막한 언덕에 오르기로 했다. 하지만 막상 언덕에서 내려다보자, 물안개와 다른 공사 장비에 가려져 놀이터의 모습은 잘 보이지 않았다. 은지는 아쉬운 듯 실없는 미소를 지으며 먼저 내려갔다. 다빈도 은지를 따라 뒤돌아 내려가려던 순간, 저 아래 희미하게 미끄럼틀의 형체가 보였다. 은지를 처음 만났던 그 미끄럼틀이었다. 이내 미끄럼틀은 중장비가 지나가며 튀긴 흙에 덮여 사라졌다. 그 풍경을 뒤로하고 다빈은 언덕을 내려갔다. 둘의 보물섬은 그렇게 사라졌다.

하지만 다빈은 생각했던 것만큼 슬프지 않았다. 절망적이지도 않았다. 오히려 키가 한 뼘 자란 느낌이었다. 다빈은 초등학교에서 방학 직전 보여 주었던 〈피터 팬〉 영화를 떠올렸다. 다른 아이들은 모두 네버랜드를 떠나 어른이 되었지만, 피터 팬만은 네버랜드와 끝까지 함께했다. 다빈은 네버랜드가 사라지는 장면을 상상했다. 후크 선장이나 악어나 다른 무언가 때문에 네버랜드가 사라질 수도 있지 않을까? 그렇게 된다면 피터 팬은 어디로 갈까. 네버랜드는 어른이 되지 않는 아이들의 유일한 땅이니까, 만약 네버랜드가 사라진다면 피터 팬도 결국 어른이 될 수밖에 없을 것이다. 하지만 피터 팬이 네버랜드를 떠나 어떤 어른으로 자라날지, 그 모습은 잘 그려지지 않았다. 다빈은 어른이 된 피터 팬의 모습처럼 놀이터를 떠나온 스스로의 미래 역시 선명하게 상상할 수 없었다. 그래도 막막하지만은 않았다. 이제는 다빈도 보물을 찾아낸 기분이었기 때문이다. 다빈은 어린 시절 놀이터에서 자신이 찾아 헤매던 보물은 보물섬을 들어내야만 찾을 수 있는 것이었음을 희미하게나마 느꼈다. 지난 며칠 동안, 다빈은 들러리라고만 생각해 왔던 어른들이 어떤 주인공보다 빛나고 있는 모습을 보았다. 놀이터는 무너졌지만 다빈은 그 시간 속에서 주인공과 들러리를 나누던 스스로의 네버랜드를 졸업했다.

　다빈과 은지는 야채전 할머니 댁으로 향하고 있었다. 전을 잔뜩 부쳐 줄 테니 모두 먹으러 오라는 할머니의 말씀 때문이었다. 비 오는 날에는 막걸리에 김치전이 최고라나. 다빈은 술을 한 번도 마셔 보지 않았다. 어른이 되기 싫었던 다빈은 어른들의 음료인 술 역시 멀리해 왔기 때문이다. 하지만 오늘은 뭔가 달랐다. 다빈은 막걸리의 맛과, 거기에 곁들일 할머니의 김치전 맛이 궁금했다. 모두와 함께라면 어른

이 되는 것도 어쩐지 나쁘지만은 않을 것 같았다. 다빈은 앞서 가는 은
지에게 달려가 손을 잡았다. 내리는 비에도 둘의 웃음은 동네에 맑게
울려퍼졌다.

우리집 앞 참새 이야기

김승미

김승미 저는 무심코 넘어가는 것들에 대해 다시 생각해 보는 걸 좋아합니다.
그러다 마음이 가는 것을 하나 고릅니다. 때로는 따뜻한 이야기, 때로
는 조심스러운 이야기입니다. 그들을 소중히 엮어 모아보면 글이 됩니
다. 이번 글도 그렇습니다. 사소해 보이는 일들이 역경이 되고, 이를
헤쳐 나가는 참새와 꼬마는 낯설지 않습니다. 그들의 우정을 응원하면
서 그간 무심했던 우리에게 용기가 생겨나길 바랍니다.

인스타그램: @smi_may_

폭풍우와 꼬마

　나는 참새다. 작고 연약한.

　우리에게 세상이란 끊임없이 시련을 주는 공간이었다. 차가운 이슬이 내린 새벽녘에 다른 새들과 경쟁해서 겨우 벌레 몇 마리를 잡아 오고, 밤사이 부스러진 둥지를 보수하려고 적당한 나뭇가지를 고르다 보면 족제비와 뱀들을 마주쳐 부리나케 도망쳐야 했다. 둥지에 있는 알들이 공격받을까 하루에도 수십 번씩 둥지에 들러서 확인하고, 가끔은 온 힘을 다해 까치나 비둘기를 쫓아내야 했다. 한 번은 심한 비바람이 불었던 적이 있었다. 그날 밤 우리 가족은 비바람 속에서도 튼튼한 우리 둥지를 칭찬하며, 누가 제일 열심히 둥지를 보수했는지 이야기를 나누고 있었다. 그 순간, 둥지를 올린 나무가 갑자기 크게 흔들리기 시작했다. 우리는 둥지 안에서 서로 부둥켜안고, 몸을 잔뜩 웅크렸다. 그리고 두려운 시간이 지나가기를 간절히 빌었다. 그때, 커다란 굉음과 함께 나무가 부러지고 말았다. 그리고 균형을 제대로 잡지 못한 나는 둥지 밖으로 떨어졌다. 엄마는 둥지에서 내게 무어라 소리치며 날아오고 있었다. 그리고 그 뒤로 나는 엄마를 볼 수 없었다.

날이 갠 후 깨어나 보니 혼자인 나를 맞아주는 것은 숨 막히게 강렬한 여름 햇살뿐이었다. 부모님도, 둥지도 온데간데없었다. 마치 지옥과 같은 악몽을 꾼 것만 같았다. 난 부모님의 흔적이라도 찾기 위해 하루 종일 날아다녔다. 커다란 나무뿌리 아래, 차가운 돌 틈 사이, 작은 풀꽃들 사이, 질퍽이는 웅덩이 근처를 쉼 없이 방랑하였다. 왼쪽 다리가 뱀에게 거의 먹힐 뻔하였고, 물살이 센 냇물에 휩쓸려 가기도 했다. 밤에는 빈 굴에서 몸을 피하려고 했지만, 두더지 가족이 돌아와 호되게 혼나고 쫓겨났다. 태풍 이후라 깨끗한 물을 찾기도 어려웠고, 무언가를 찾아 먹을 정신도 없었다. 홀로 위험과 싸우며 먹지도, 마시지도 않고 외로움을 견뎠다. 그렇게 온 숲을 헤맸다. 내 날개와 숨이 이미 한계에 달했다는 것을 알게 된 것은, 어느새 인간들이 많은 길목에 도착했을 때였다. 노을이 지고 있는 하늘을 바라보며 생각했다. 지금 몸 상태를 생각하면 오늘 밤엔 반드시 안전한 곳에 몸을 숨겨야만 한다고. 하지만 오늘 밤을 무사히 넘긴다고 해도 홀로 숲에서 살아갈 생각을 하니 암담한 미래만 그려질 뿐이었다. 그때, 점점 웅성거리는 인간들의 소리가 가까워졌다. 그 수가 매우 많고, 유난히 요란스러운 탓에 근처에 앉아 있던 다른 새들은 모두 하나둘 멀리 도망가고 있었다. 그러나 나는 이미 너무 지친 상태여서 다른 곳으로 몸을 피할 수가 없었다. 그저 두려움에 떨며 나무 아래에서 숨죽이는 것이 최선이었다. 그리고 그곳에서 꼬마라고 불리는 부드러운 향이 나는 작은 인간을 만났다.

그 꼬마는 무리의 맨 뒤에서 가장 천천히 걸어오고 있었다. 조금 작은 옷 탓에 엉거주춤한 걸음걸이로 신기한 듯 주변을 둘러보고 있었다. 개나리색 옷을 입은 그를 보며 꼭 길잃은 오리새끼 같다고 생각했다. 선하게 내려간 눈꼬리에는 왜인지 슬퍼 보이는 눈망울이 담겨있었다. 누군가 지켜보는 것을 느낀 것인지 꼬마는 내가 숨은 나무 앞에 멈춰 섰다. 그리고 그는 작고 따뜻한 목소리로 내게 말을 걸어왔다. 그리고 이상하게도 나는 꼬마가 어떤 말을 하는지 이해할 수 있었다.

"아기 새야. 여기에 왜 혼자 있어?"

이렇게나 가까이에서 인간을 보는 것은 처음이라 최대한 멀리 도망가야 한다는 생각이 들었다. 있는 힘껏 날개를 움직여보았지만, 흙먼지만 날릴 뿐이었다. 뛰어가려 해보아도 다친 왼쪽 발 탓에 자꾸만 넘어지기만 했다. 그러는 동안 꼬마는 더 가까이 다가왔고, 두려웠던 나는 눈을 질끈 감았다.

"놀랐지? 미안해. 이거 밤에 몰래 먹으려고 아껴둔 과자인데 이거 먹고 아프지 마!"

꼬마는 주머니에서 꼬깃꼬깃 접힌 무언가를 꺼내더니 내 앞에 조심히 펼쳐 놓았다. 고소한 냄새가 퍼지는 것이 꽤 맛있는 과자인 것 같았다. 꼬마는 내가 바라볼 때마다 한 발짝씩 더 물러서며, 내가 경계를 풀길 바라는 것 같았다.

긴장을 풀고 한입 먹으려던 찰나, 나는 머리가 멍해지며 몸에 힘이 풀리는 것이 느껴졌다. 이윽고 따뜻하고 부드러운 것이 나를 감싸며,

꼬마의 목소리가 아득하게 맴돌았다. 걱정 가득한 그 목소리에 태풍 오던 날의 엄마 목소리가 겹쳐 들렸다.

약속의 새벽

"아기 새야. 너는 어쩌다가 거기에 혼자 있었어?"

꼬마가 속삭이는 소리에 눈을 떴다. 처음 보는 공간에 놀라 황급히 몸을 일으켜 주변을 둘러보았다. 사방이 가로막혀 있었지만, 바닥은 폭신했고 천장은 뚫려있는 공간이었다. 벽 건너편으로는 꽤 강하게 흔들리고 있는 나무 그림자가 보였다. 하지만, 나는 바람을 전혀 느낄 수 없었다. 처음 느껴보는 기묘하게 아늑한 공간이었다. 주변을 파악하고 나서야 내 몸이 눈에 들어왔다. 상처가 났던 몸 곳곳엔 무언가 덕지덕지 발라져 있었다. 아무래도 꼬마가 치료해준 것이 분명해 보였다. 정말 이상한 꼬마였다. 어렸을 때 엄마가 내게 자주 하던 이야기가 있었다. 숲에 오는 작은 인간들을 조심하라고. 그들의 놀이는 높은 나무 위에 있는 둥지에 돌을 던진다거나, 새들에게 돌을 맞추는 것이라고 했다. 그 말을 들은 후, 나는 줄곧 인간들을 피하기만 했다. 그래서 꼬마의 행동에 나는 몹시 혼란스러웠다. 어느새 내 앞에는 물과 고소한 냄새가 나는 것들이 놓여있었다. 꼬마를 바라보았더니 자신이 바라보지 않을 테니 먹으라는 양 눈 가리는 시늉을 했다. 배가 많이 고팠던 탓에 허겁지겁 앞에 있는 것들을 먹었다. 씨앗을 말린 것 같았는데, 맛이 아주 좋았다. 허기를 달랜 후, 이 공간을 더 둘러보기로 마음먹었다. 꼬마는 자신에게 오길 기대하는 눈치였지만, 나는 날갯짓을 해서 벽 위로 올라섰다. 그러자 꼬마와 비슷한 크기의 열댓 명의 인간들이 자고 있는 모습이 보였다. 인간이 많아서 조금 놀랐지만, 위협적으로 보이지는 않아 별로 무섭진 않았다.

'휘이잉 – '

날카로운 바람 소리에 본능적으로 몸을 숨기려 구석으로 날갯짓을 했다. 하지만, 바람을 불지 않았다. 역시 여기는 사방이 막혀있는 공간임이 확실했다.

"바람 소리일 뿐이야. 괜찮아."

다정한 꼬마의 말에 부모님이 떠올라 울적했지만, 내게 내민 그 손에 올라서니 따뜻하고 부드러운 촉감에 기분이 조금 나아졌다. 내가 꼬마의 머리 위에 앉으니, 그는 간지러운 듯 웃음을 터뜨렸고 나는 그게 재미있어 날아올랐다가 꼬마의 머리에 앉기를 반복했다. 어느새 달이 낮게 내려올 무렵, 꼬마는 창가에 앉아 내게 말을 걸었다.

"네가 자는 동안 네 이름을 지어봤어. '별찌'어때? 별똥별이라는 뜻이야. 사실 난 별똥별을 몹시 기다리고 있어. 왜냐면 엄마가 나한테 별똥별이 엄청많이 떨어지는 꼭 데리러 온다고 했거든. 그런데 별똥별은커녕 별도 잘 안 뜨는 거 있지?"

꼬마가 지어준 내 이름은 정말 마음에 들었다. 숲에서 행복하게 지내던 때가 떠올랐기 때문이다. 자려고 둥지에 누웠을 때 하늘을 바라보면 어지럽게 별들이 펼쳐져 있었는데, 그 사이를 자유롭게 나는 별똥별들을 보면 날개가 근질근질했다. 그리고 엄마는 그런 나를 재우겠다며 꼬옥 안아주었다. 엄마에게 듣기로 인간 도시는 밤에도 너무 밝아서 별을 볼 수 없다고 했다. 그 말대로 지금 이곳의 하늘은 너무 밝았다. 제일 밝은 별 대여섯 개만 보일 뿐이었다. 마음 같아서는 내가 살던 그 숲으로 이 꼬마를 데려가면 좋겠다고 생각했다. 그렇게 해서 꼬마가 엄마, 아빠를 만날 수 있다면, 조금 슬퍼 보이는 아이의 눈망울이 밝게 빛날 것 같았다.

이어서 꼬마는 엄마, 아빠와 함께 맛있는 것을 먹은 일, 바다라는 곳을 간 일, 크리스마스에 멋진 장난감을 선물 받은 일들을 내게 이야기 해주었다. 무릎에 앉아 이야기를 듣다 보니 어느새 건물 너머로 해가 떠오르고 있었다. 차가운 새벽의 볕이 꼬마의 얼굴을 비추었다. 그러자 금방이라도 울 것 같은 눈망울이 반짝 빛났다. 꼭 깨문 입술이 아플까 걱정되었다.

"너한테 계속 여기 있으라고 하면 너무 답답하겠지? 너가 여기서 지내려면 숨어지내야 하거든. 게다가 들키면 선생님들이 밀대를 휘둘러 쫓아버릴 거야."

꼬마의 목소리가 얕게 떨렸다. 이윽고 내가 올라서 있는 그의 어깨도 조금 떨려왔다. 짧은 침묵 끝에 꼬마가 몸을 일으켰다. 창밖에는 새들이 지저귀는 소리에 슬슬 시끌벅적해지고 있었다.

"내가 앞마당에 새집을 만들어줄게. 나뭇가지랑 목공풀이면 금방 만들 수 있을 거야. 내가 만든 새집에 네가 있으면 선생님들도 예뻐하실지도 몰라. 그전까지는 요 앞 공원에서 새 친구들 많이 사귀어 둬. 커다란 집에서 혼자 살면 심심하잖아."

따스한 햇살에 어울리게 꼬마의 웃음이 밝게 빛났고, 나는 쑥스러워 괜히 바닥만 쪼아댔다. 그때, 큰 소리가 들리며 인간들이 하나 둘 일어나기 시작했다. 꼬마는 창문을 열어주며 싱긋 웃었다. 그리고는 나를 창가에 놓아주었다.

"어서 가. 꼭 또 보자. 내가 금방 갈게."

미지의 힘

매미가 시끄럽게 울던 계절부터 내게 보금자리가 된 이곳은 낙엽이 쌓이고 부서지더니 어느덧 눈발이 하얗게 흩날리고 있었다. 나는 줄곧 꼬마를 기다리고 있었다. 꼬마와의 약속대로 친구들도 많이 사귀었다. 특히, 여기 와서 가장 친하게 지냈던 건 다람쥐 친구들이었는데, 새로운 보금자리로 떠날 날을 함께 손꼽아 기다리고 있었다. 하지만, 날이 점점 추워지자 겨울잠을 잔다고 죄다 숨어버린 탓에, 아무래도 꼬마가 오면 홀로 떠나야 하는 신세였다. 친구들 데려가겠단 약속을 못 지켜 꼬마가 실망할지도 모른단 생각을 하니 괜히 울적하고 외로웠다. 그때, 공원 앞 분수대에서 까치 아줌마들이 수다 떠는 소리가 들렸다. 오늘따라 왜인지 은밀하게 운을 띄우는 탓에 귀를 쫑긋하고 이야기를 훔쳐 들었다.

"글쎄, 어제는 뒷 나무 박새네 아범이 또 거기서… "

"아이고- 그러면 그 집 애들은 이제 어떡헌다. "

"애들도 애들인데 거기 터가 문제여. 벌써 거기서만 몇명이야. "

"그 뭐 버무린 삼각지댄가 사각지댄가 하는… "

"그래그래, 그런거여. 미지의 힘."

내용은 요새 우리 공원의 주 관심사인 '미지의 힘'이었다. 최근 들어 부쩍 건강하던 새들이 인간 동네에 가면 돌아오지 못하였다. 이유를 알아내려고 용감한 새들을 모아 정찰도 가보았는데, 발견한 사체는 이상하게도 부리가 부러져있거나 머리 쪽을 크게 다쳐있었다. 일

반적으로 자동차나 사람에 의해 죽은 새들은 몸통에 큰 상처가 있다. 그에 반해 머리 쪽에 상처가 있는 것은 이해하기 어려운 일이었다. 그 사고를 직접 본 새에 따르면, 멀쩡히 날아가던 새가 갑자기 큰 소리와 함께 추락했다고 한다. 특히, 빠르게 날수록 더 위험하다는 소문 탓에 요새는 다들 조심히 날아다니며 최대한 인간 동네로 가는 것을 줄이고 있었다. 하지만, 날이 점점 추워지고 공원에 사람들이 오지 않게 되면서, 공원에서 먹을 것이 거의 없어지고 말았다. 이 때문에 어쩔 수 없이 다들 인간 동네에 가서 끼니를 해결할 수 밖에 없는 상황이다.

내가 미지의 힘에 대해서 듣고 가장 걱정이 되었던 것은 꼬마였다. 인간 중에 작고 약한 꼬마가 그 무서운 힘에 당한 것이 아닐까. 엄마아빠도 없는 그 아이를 아무도 찾지 않아서 홀로 쓸쓸하게 꺼져가고 있는 것이라면, 그 아이는 분명 나를 기다리고 있을 것이다. 곰곰이 생각해 보니 더욱 더 맞아떨어지는 것 같다. 꼬마는 내게 날씨가 추워 지기 전에 데리러 올 것이라고 약속했는데 지키지 못했다. 그런데 새들이 돌아오지 못하게 된 것도 해가 짧아지던 그 시점이었다. 약속을 하던 꼬마의 눈빛은 진실했다. 올 수 있는 상황이라면 반드시 왔을 것이다.

"아줌마. 저 인간 동네에 다녀와야할 것 같아요. 아무래도 제 친구한테 무슨 일이 생긴게 분명해요."

그동안 나를 잘 보살펴줬던 참새 아주머니께 내 결심을 말씀 드렸다. 아주머니가 반대하시면 나는 떠날 수 없다. 아주머니는 내가 이곳에 온 그날 새끼들을 모두 잃으셨다고 했다. 커다란 고양이가 나타나 둥지를 습격한 것이다. 순식간에 나무를 타고 올라가서 둥지를 떨어뜨리고 새끼 몇 마리를 물어가는데, 아주머니는 그 주먹 한 방에 나가 떨어져 아무것도 하지 못했다고 한다. 망연자실하며 둥지를 보수하던 그때, 성한 데가 없어 보이는 꾀죄죄한 내가 나타났던 것이다. 그날부터 아주머니는 나를 자식보다도 귀하게 길러 주셨다. 그리고 꼬마가 와도 떠나지 말라고 늘 내게 말씀하셨다. 내가 아주머니께 얼마나 소중한 존재인지 너무나도 잘 알고있다. 그렇기 때문에 말씀드리지 않고는 도저히 떠날 수가 없었다. 무거운 마음을 갖고 사정을 말씀드렸다. 그런데, 아주머니는 뜻밖에도 나를 응원해 주셨다. 나를 믿어주는 말들에 눈물이 왈칵 맺혔다. 그간의 감사했던 마음까지 전하고 나자 아주머니는 내게 여러 조언을 해주셨다.

"아가. 네가 여길 벗어나면 반드시 조심해야하는 것들이 몇가지 있어. 꼭 머리와 마음에 새겨두도록해."

그날 밤부터 아침 해가 뜨도록 나는 아주머니의 이야기를 들었다. 아줌마가 숲에 살던 시절, 인간이 천둥을 쏘아 새들을 잡아가던 이야기. 가장 친한 친구가 눈앞에서 차에 치여 버린 이야기. 남편이 길고양이 사료를 훔쳐 와 새끼들에게 먹였는데, 저주가 깃들었는지 남편과 새끼들이 모조리 죽어버린 이야기. 그 밖에도 수많은 위험에 대해서 자세하게 배웠다. 그 이야기들을 들으며, 나는 애써 외면 하고 있었던 새들에게 닥쳐있는 위험들을 처음으로 제대로 마주할 수 있었다. 내 친구가 인간인 것과 별개로, 인간이란 정말 무서운 존재임이 틀림없었다. 게다가 그 위험이라는 것들은 도저히 대비하고 맞서 싸우기 어려운 것들이었다. 운이나 운명 혹은 인간들의 손에 새들의 목숨이 달린 것은 아닐까 하는 생각이 들었다.

그리움의 공간에서

오늘따라 더욱 차가운 바람에 몸을 잔뜩 웅크리며 깃을 다듬었다. 날갯짓에 깊이 스며올 칼바람을 생각하니 솜털까지 절로 바짝 섰다. 아주머니의 배웅을 받으며 도약한 뒤, 높게 비행을 시작했다. 이렇게나 높고 긴 비행은 꼬마를 만난 그날 이후 처음이었다. 우선은 꼬마가 날 치료해 줬던 그곳으로 향했다. 그러나 우리가 대화를 나누던 그 방은 텅 비어 있었다. 밤새 함께 내다보던 그 창문 앞에 앉아 주변을 둘러보았다. 여기저기 부서지고, 붉은 글씨로 낙서가 되어있었다. 전과 사뭇 다른 풍경에 낯설어, 마치 다른 곳처럼 느껴졌다. 그리고 가장 큰 문제는, 이곳엔 더 이상 아이들이 없다는 것이었다. 커다란 어른들과 괴상하고 무섭게 생긴 차들만 오갈 뿐이었다.

'두두두두-'

그때, 하늘이 무너지는 것 같은 소리가 들려왔다. 놀라 황급히 근처 나무로 대피해 상황을 살폈다. 나와 꼬마가 함께 있었던 그 방 그 벽을 부수려는 것 같았다. 아무래도 아이들이 여기를 떠난 지는 꽤 오랜 시간이 지난 것 같았다. 꼬마는 어디에 있을까. 작은 단서라도 얻기 위해 눈이 쌓여 축축한 쓰레기통을 뒤지고, 문이 열린 방 안에 조심히 들어가보았다. 그 곳에는 앙칼지게 생긴 검은 고양이가 한 마리 있었다. 아이들이 두고 간 짐들을 정신없이 뒤지고 있었다. 그리고 그 속에는 꼬마가 입던 노란 개나리색 점퍼도 있었다. 소중히 여기던 점퍼까지 두고가다니. 아무래도 큰 일이 생긴 것이 분명했다. 단서를 얻기 위해 가까이 가고 싶었지만, 고양이 때문에 도저히 엄두가 나지 않았다. 하는 수 없이 조금 뒤를 기약하고 조용히 날아 그곳을 빠져나왔다. 잠시 한 숨 돌리기 위해서 밤이 되면 빛이 나는 높은 철 기둥 위에 올라섰다. 그러자 내 옆에 다른 참새들이 날아와 앉았다.

"얘, 너 여기에 왜 왔니?"

자초지종을 간단하게 설명하자, 그들은 무언가 안다는 분위기를 풍겼다. 하지만 영 알려주기 싫은 눈치였다.

"인간이랑 친한 것도 짜증 나는데 그냥 버려두고 가자. "

"그러니까. 요새 저 인간이 맨날 고양이 밥 챙겨주는 바람에 새들만 죽어나잖아."

그들이 가리킨 곳에는 어른 여자가 고양이 밥을 챙겨주고 있었다. 그리고 그들은 내가 그 여자를 쫓아내면 아이들이 향한 곳을 알려준다고 했다. 새 한 마리가 사람을 쫓아내라니. 불가능하다고 생각했지만, 단서를 얻을 유일한 기회를 놓칠 수 없었다. 심호흡을 두어 번 하고 조심스럽게 거리를 좁혔다. 전봇대, 쓰레기통, 화단 울타리 순서로 가까이 다가가서 빠르게 머리를 쪼아볼까? 우선 전봇대에 앉아 상황을 살펴보았다. 보아하니 고양이들은 곧 밥을 다 먹고 떠날 것 같았다. 잠시 뒤에 그녀에게 접근하면 가능성이 보일 것 같았다. 하지만, 고양이들은 밥을 다 먹고도 어른 여자 앞에 누워 재롱을 부렸다. 좀처럼 떠날 기세가 아니라 조바심이 났던 나는 우선 쓰레기통 위로 올라섰다. 그러자 어른 여자도 나를 바라보았다. 순간 마주친 그녀의 밝은 눈동자는 익숙한 다정함을 갖고 있었다. 게다가 꼬마가 새벽에 보여줬던

슬픈 눈이 겹쳐 보여, 나도 모르게 잠시 넋을 놓고 가까이 날아가게 되었다. 그리고 그때, 바닥에 누워있던 고양이는 어느새 도약할 준비를 하고 있었던 것 같다. 주변의 새들이 소리치며 짹짹거리는 소리에 고개를 돌리자, 내 눈앞에는 이미 고양이의 날카로운 발톱이 지나가고 있었다. 결국 피할 새도 없이 바닥으로 툭 떨어지고 말았다. 어른 여자는 매우 놀라며 내 쪽으로 다가왔다. 고양이를 진정시키려 어루만졌고, 다른 한 손으로는 나를 조심스레 들어 품에 안았다. 사실 나는 그때 충분히 날아갈 수 있었다. 스치면서 균형을 잠시 잃었을 뿐 크게 다친 곳은 없었다. 그런데도 그녀의 손에 계속 머무른 이유는, 마치 오래 그리워했던 기분이 느껴졌기 때문이다.

가로막힌 만남

어른 여자는 나를 그녀의 차에 태웠다. 엔진 소음에 소름이 끼쳐 털이 바짝 설 정도였지만, 왜인지 이 상황이 무섭지는 않았다. 나는 몸을 일으켜 주변을 둘러보기 시작했고, 나를 태운 그 차는 부드럽게 출발했다.

"아기새야 미안해. 고양이가 너한테 그럴 줄 몰랐다. 역시 난 모자란 사람인가 봐"

아까보다 더욱 슬픔에 잠긴 어른 여자의 눈동자에 마음이 쓰였다. 아무래도 말 못할 사연이 많은 것 같았다. 하지만 난 그녀를 뒤로 한 채 주변을 둘러보기 바빴다. 자동차라는 것을 타자, 빠르고 안전하게 사람들이 사는 곳을 둘러볼 수 있었기 때문이다. 꼬마를 찾을 절호의 기회였다.

"아무래도 특수 동물 병원으로 가야겠지? 문을 닫지 않아야 할 텐데… 어, 세상에. 눈이 오네."

얼음 같은 비가 내리나 싶더니 어느새 눈송이가 제법 큰 눈이 내리고 있었다. 곧 소복이 덮일 세상을 생각하니 지난 겨울의 추억이 떠올랐다. 우리 참새들은 겨울이 오기 전에 최대한 많이 먹고 겨울에는 최대한 옹기종기 모여서 움직이지 않는다. 에너지를 아끼고 열을 보존하기 위해서이다. 홀로 겨울을 절대 날 수 없는 것이다. 겨울이면 통통해진 모습은 제법 우스웠다. 그래서 서로 통통해진 모습을 놀리며 몸과 발을 비비는 것이 일상이었다. 추위는 전혀 느껴지지 않곤 했다. 따뜻했던 그 온도를 회상하며 글썽이던 참에 자동차가 멈춰 섰다.

"자, 내려보자."

어른 여자는 나를 두 손으로 조심히 감싸 차에서 내렸다. 숨 쉴 구멍은 만들어줘야겠다며 그녀가 손가락 사이를 조금 벌렸을 때, 내 눈에 어깨를 늘어뜨린 채 터덜터덜 걸어가는 꼬마의 모습이 보였다. 꿈인지 생신지도 구별하지도 못했지만, 기회가 없을 거란 생각에 손가락 사이를 비집고 날았다. 제대로 도약하지 못해 바닥에 떨어질 뻔했지만, 제대로 정신을 차리고 꼬마를 향해 빠르게 나아갔다. 심장이 빠르게 뛰었다. 드디어. 드디어.

'쾅-'

거의 다 왔다고 생각했는데, 난 더 다가갈 수 없었다. 무언가가 우리 사이를 가로 막고 있는 듯했다. 이게 그 미지의 힘이란 것인가. 역시 꼬마는 미지의 힘 때문에 올 수 없었던 거구나. 나라도 가야 해. 가서 구해줘야 해.

'쾅-'

아주머니가 했던 얘기 중, 그런 이야기가 있었다. 미지의 힘으로부터 벗어나려면 천천히 날면 된다고. 머리가 어지럽고 눈 앞이 흐렸지만, 천천히 나는 것 정도는 할 수 있었다. 지금보다 더 아플 때도 꼬마가 구해줬으니까. 저기까지 가기만 하면 돼.

'쾅'

꼬마가 나를 바라봤고, 황급히 뛰어오는 어른 여자의 구두소리가 들렸다. 저 여자에게 잡히면 안돼. 꼬마한테 가야 해.

'쾅'

내게 달려오는 꼬마의 모습이 보였다. 그 아이의 한 손에는 비닐 봉지가 들려 있었는데, 둔탁한 소리와 함께 노오란 그것이 바닥에 떨어지는 것을 보았다. 그것은 우리가 약속했던 날 위한 새집이었다. 아 역시 약속을 어기지 않았구나. 마음을 놓는 순간, 더 이상 아무것도 보이지도 들리지도 않았다. 겨우 부드러운 향기와 온도 정도만 느낄 수 있었다.

별똥별의 소망

찌릿한 두통과 함께 눈을 떴다. 눈앞이 흐렸지만, 부드러운 향기를 통해 근처에 꼬마가 있다는 것을 알 수 있었다. 눈을 몇 번 끔뻑이자 고양이에게 밥을 주던 어른 여자가 꼬마를 안아 들고 있는 것이 보였다. 어른 여자는 다 잘될 거라는 말을 하며 꼬마의 이마에 입을 맞추었다. 아무래도 어른 여자는 꼬마의 엄마인 것 같았다. 꼬마는 붉은 눈을 비비며 내 쪽을 바라보았는데, 그때 나와 눈이 마주쳤다.

"별찌가 일어났어! 의사 선생님 불러올게!"

어디론가 재빠르게 뛰어가는 꼬마와 그를 뒤따라가는 꼬마의 엄마가 보였다. 낯선 이곳에서 그들을 따라 가야 한단 생각이 들었다. 무거운 몸을 일으켜 꼬마를 향해 날아가려 해보았는데, 내 앞에 보이지 않는 벽이 가로막고 있는 것이 느껴졌다. 무엇인지 궁금해 쪼아보려고 했으나, 내 부리가 부러진 것이 보였다. 부리가 없는 새라니. 꼬마가 여전히 날 좋아할지 걱정이 되었다. 아무튼 이 투명한 벽은 내가 꼬마에게 날아가다 부딪힌 것과 같은 것으로 보였다. 그리고 그간 우리 새들을 괴롭힌 미지의 힘의 정체 또한 바로 이것인 것 같았다. 걱정과 원망이 뒤섞이며 우울해 질 무렵, 꼬마가 다른 인간을 데려왔다. 꼬마는 예쁜 눈꼬리를 접어 보이며 그 부드러운 손으로 나를 조심스럽게 들어 올렸다. 그리고 나는 미지의 벽 밖으로 나올 수 있었다. 꼬마는 따뜻한 손으로 나는 감싸안아 주었고, 나는 왜인지 서러운 마음이 들었다. 꼬마는 내게 입맞추며 이야기 했다.

"고마워. 덕분에 너도 엄마도 만났어. 이제 우리 집으로 가자."

어른 여자의 차를 타고 오랜 시간 달렸다. 얼마나 시간이 지났을까. 숲 내음이 진하게 나는 곳에서 차가 멈춰 섰다. 꼬마는 익숙한 듯 차에서 내렸고, 나를 품에 꼭 안고 총총거리며 어디론가 향했다. 그곳에는 아이가 만든 내 집이 있었다. 푸른색으로 칠한 겉면에 별똥별을 잔뜩 그려두었다. 집 지붕에는 새 한 마리와 사람 한 명이 그려져 있었다. 아무래도 나와 꼬마를 그린 것 같았다. 꼬마는 집 안에 부드러운 옷가지들을 넣고, 조심스럽게 나를 넣어주었다. 안쪽에도 별이 잔뜩 그려져 있었다. 아늑하고 마음에 드는 공간이었다. 포근함에 잠시 눈을 붙이려고 했는데, 꼬마가 나를 꺼내며 이번에는 자신의 집을 소개해 주겠다고 했다. 집에 들어가자, 꼬마의 엄마가 내게 말했다.

"겨울은 우리 셋이 여기서 함께 나자. 그러려면 이게 필요하겠지?"

무언가를 건네받은 꼬마는 만족스러운 웃음을 지었다. 나는 그게 무엇인지 궁금한 양 고개를 갸우뚱 해보았지만, 꼬마는 비밀이라며 웃을 뿐이었다. 이윽고 저녁 시간이 되었다. 부러진 부리로 어떻게 밥을 먹어야 할지 걱정이 한가득이었다. 그때, 꼬마의 엄마가 나를 불러 날아가보았다. 그러자, 주사기 같은 것으로 내게 밥을 먹여주었다. 묽고 고소한 게 먹기에 딱 좋았다. 밥을 먹여주면서 그녀는 내게 말했다. 매일 이렇게 해주겠으니 걱정 말라고. 옆에 있던 꼬마는 부리가 없으니 더욱 특별한 참새가 되었다며 함박웃음을 지었다. 웃는 모습이 예쁜 둘을 보고 있으니, 내 마음도 간질간질 행복해지는 것이 느껴졌다. 포근하고 즐거운 분위기에서 점점 해가 저물기 시작했다.

'휘이잉-'

거센 바람 소리에 소름이 끼쳐 꼬마의 품속으로 날아들었다. 그러자 꼬마는 웃으며 거실 커튼을 걷어냈다. 그러자 반짝이는 별빛들이 눈에 들어왔다. 정확히 말하면 그것은 빛나는 별 모양 스티커였다. 그 뒤로는 커다란 눈송이가 흩날리는 모습이 보였다. 바람 부는 풍경이 이렇게 아름다워 보일 수 있다니. 그날 밤, 나는 꼬마의 따뜻한 어깨 위에 앉아 오래도록 바깥을 바라보았다. 더 이상 바람 소리가 무섭지 않았다. 꼬마가 붙여준 스티커 덕분에 투명한 그 벽에 부딪힐 일도 없었다. 공포스럽고 원망스럽던 미지의 힘은 거센 눈보라로부터 우리를 지켜주고 있었다. 창에 붙은 눈송이는 물방울이 되어 내 얼굴을 비추었다. 부리가 부러진 연약한 참새가 보였다. 도시에서 쓸쓸하게 죽어간 이웃들이 겹쳐 보였다. 그때 꼬마가 내 눈앞의 창에 스티커를 붙여주며 말했다.

"나는 커서 세상 모든 창에 이걸 붙일 거야. 별찌 너도, 너 친구들도 마음껏 다닐 수 있게."

꼬마의 엄마는 좋은 생각이라는 듯 우리를 꼭 안아주었고, 꼬마는 자신의 계획을 신난 듯 늘어놓았다. 이윽고 눈이 그치고 하늘에 별들이 떠오르기 시작했다. 우리는 서로에게 기대어 밤새도록 이야기를 꽃피웠다. 그리고 그날 하늘에는 수십 개의 별똥별들이 쏟아졌다.

나의 숲세상

율리

율리   전기가 되고, 인터넷이 터지는 디지털 시대, 산골토박이 율리(Juli)는
사람들이 넘쳐나는 도시보다 산에서 지낸 경력이 아직 많다. 산과 숲,
자연 속에서 벌어진 이야기 보따리를 갖고 있다. 재 꿈은 펭귄 서식지
관찰, 추구하는 삶은 다양한 나라를 돌아다니며 생태계를 관찰하다가
종종 스윙 댄스를 추는 것이다.

인스타그램: @i.h_welt

1부. 내 삶의 터전, 산골짜기

나의 살던 고향은, 꽃피는 산골이다. 복숭아꽃 살구꽃 아기 진달래 꽃이 피던 그 산골짜기.

내가 이 세상에 태어났을 때, 내 옆에는 1분 먼저 태어난 언니가 있었다. 그 언니와 나는 나무들이 우거진 산속에서 새소리와 계곡물 소리를 들으며 자랐다. 우리가 자란 곳은 풀밭, 흙밭, 꽃밭이었다. 희미해진 기억과 어머니가 들려주신 유아기 시절을 회상하자면 우리는 아마도 젖병을 빨며 문풍지에 비치는 햇빛을 바라보거나 마루가 있는 안방에 나와 햇살을 맞이했다. 문풍지 사이로 계곡물 흐르는 소리와 새소리 그리고 아궁이 속 장작이 타는 소리가 아침 점심 저녁마다 섞여서 들어왔다. 우리 집 산골에는 우리를 지켜주는 강아지들과 함께 있었다. 이게 내가 기억하는 고향의 모습이다. 이제부터 들려주는 이야기들은 언니와 내 기억이 교차한, 누가 주인인지 모를 이야기들이 있다. 항상 내 기억이라고 주장하고 싶은데, 동시에 같은 상황에 있을 때가 많아서 우리의 이야기이기도 하다. 그래서 이 단편은 언니와 내가 들려주는 과거와 내가 어른이 되고 만들어간 이야기들이다.

내가 살던 고향은 처음부터 전기가 없었기에 불편이란 걸 생각할 수 없었다.

그 당시에 대다수가 전기가 되는 집에 살았다. 그렇다고 당연하게 우리도 전기가 되는 집에 사는 것은 아니었다. 전기가 없는 집에 4남매가 나고 자란다는 것은 상상할 수 없는 일일 것이다. 전기 없이 무더위와 추위로부터 우리 가족을 보호하고 지키기 위한 여정은 가족의 역할 뿐만 아니라 사람들의 도움도 빠질 수가 없었다고 생각한다. 그렇게 나는 부모님 뿐만 아니라 자연과 사람들의 보살핌으로 성장했다. 그렇게 자랐다. 때론, 날씨와 자연의 변화에 쉽게 노출이 되어 추울 때도 그리고 더울 때도 있었다. 추위와 배고픔은 가난을 표현한다. 역설적이게도 가난을 모르고 자랐다. 가난보다는 더울 땐 시원한 골짜기 바람과 추울 땐 따스한 한줄기의 햇살로 시원함과 온기를 있는 그대로 받으며 언니와 산골짜기를 돌아다녔다.

우리가 사는 곳은 전기가 없는 대신 장작과 촛불이 있었다. 낮에는 햇살로 세상을 봤고, 밤에는 어둠 속 감각뿐만 아니라 촛불로 세상을 봤다. 정말 다시 생각해보면, 전기 없던 삶 그 자체가 생동적이었던 것 같다. 하루는 도시(서울)로 올라간 적이 있다. 어머니의 입으로 전해진 우리 이야기를 들어본 적이 있다. 어머니께서 말씀하시길, 2000년

대 초 스타렉스를 타고 **대로를 달리는 차 안에서 아이는 이 말을 했다고 한다.

'어머니, 하늘의 별이 땅으로 내려왔나 봐요.'

도시의 불을 보며, 우리는 밤하늘 아래 땅에서 그렇게 많은 별을 처음 봤다. 밤하늘 아래 빛은 촛불과 달빛에 반사되는 빛 뿐인 줄 알았던 우리였던 것일까. 장작불과 촛불이 전부였을 우리에게 도시의 야경은 수많은 별 그 자체였나 보다. 어머니가 들려주신 이 이야기는 수년이 지나도 계속 기억 속에 남았다. 어머니가 갖고 계신 자식에 대한 따뜻한 추억을 나는 무척 좋아했다.

매일 밤마다, 달빛 아래 촛불이 켜진 우리 집 안방에서는 어머니와의 옛날이야기가 이어졌다. 우리는 어머니의 양팔을 베개 삼아 함께 이야기를 만들어갔다. 우리가 가장 좋아하던 이야기는 선녀와 나무꾼이었다. 왜냐하면, 이야기 속 주인공인 나무꾼은 우리 아버지였고, 선녀는 우리 어머니였기 때문이다. 선녀와 나무꾼의 장소는 우리 집 산골짜기였다. 실제로 우리는 산골짜기 계곡의 상류층을 선녀탕이라고 불렀다. 선녀와 나무꾼의 뒷이야기는 어머니와 우리가 함께 만들어갔다. 우리도 주인공이었다. 선녀와 나무꾼 그리고 아이들까지 상상과 현실이 넘나들었다. 나의 현실에서는 실제 있는 선녀탕을 낮이나 밤이나 산책하면서 볼 수 있는 장소였다. 실제로는 물이 차니, 어떻게 찬

물로 씻는지 이해할 수 없었지만 매일 밤 어머니의 팔베개를 하며 만들어가는 동화이야기는 항상 행복하고 즐거웠다. 우리 셋 중 하나가 촛불을 끄고 나면 우리는 밤에 우는 새소리와 물소리를 들으면 잠을 잤다.

산 속은 모험의 공간이다. 모험을 생각하면 대부분 기대되고 짜릿하다. 하지만 현실 속 모험은 상상과는 다르다. 내가 살던 자연은 아마존같이 엄청난 야생이라고는 말할 수는 없지만, 현실 속 모험의 장소였다. 초등학생 당시 학교 버스는 우리 집까지 오지 못했다. 그래서 부모님이 바쁘시면 종종 학교 뒷산 오솔길을 따라 등하교를 하기도 했다. 봄과 여름 사이인지 여름과 가을 사인지 모를 따뜻한 계절이었다. 이날 또다시 아침이 밝았고 하루가 시작되었다. 방학이었던 것 같은데 마을에 사는 친구를 보러 산을 타고 내려가기로 했다. 그래서 줄전화기를 들고 친구네 집에 전화했다. '너희 집으로 놀러 갈게!' 전화를 끊고는 언니와 룰루랄라 흥얼거리며 친구네로 향했다. 산골짜기를 내려가 도로를 걷다가 오솔길을 따라 산 고개 고개를 넘어갔다. 자작나무 숲 사이를 지나 소나무 숲을 거쳐 철제 탑을 지났다. 그리고서 산속에 있는 산소에 다다를 때 즈음 무언가 싸함을 느꼈다. 피부를 스쳐 지나가는 거미줄과 이파리가 닿을 때의 그 느낌과는 달랐다. 벌레들 우는 소리, 새소리, 나무들을 스쳐 지나가는 바람 소리가 내 주위 공간을 에워쌌다. 이 공간에는 햇살이 존재했지만 싸함은 떠나지 않았다. 그래서 발걸음을 늦추며 걷기 시작했다.

　전 날에 비가 왔었다. 그리고 다음 날인 오늘, 햇살이 눈이 부시게 따스했다. 산들바람도 좋았다. 그래서 친구네로 놀러 가기 좋았던 이유기도 했다. 이게 동물에게도 마찬가지로 해당할 줄은 몰랐다. 젖은 피부를 말리려고 나온 뱀을 볼 줄이야. 그렇게 눈이 마주치고, 우리는 서로 흠칫하며, 몇 초간의 정적이 흘렀다. 서로 눈빛을 마주친 우리는 몸이 굳어버렸다. 이 숲 속 사람이라곤 나와 언니뿐이었다. 그리고 산 속이 배경인 이 무대의 조명은 나와 언니, 그리고 뱀에게만 켜졌을 뿐이다. 순간 피부를 스쳐 지나간 산들바람이 내 정신을 차리게 했다. 정신이 돌아온 나는 소리를 질렀다. '뱀이야!!!!' 그리고 나랑 언니는 재빨리 마을로 도망갔고, 도망치기 직전 마지막으로 본 그 뱀도 반쯤 빼 있던 몸을 다시 굴로 집어넣는 것을 봤다. 진짜 짜릿한 동물과 함께한 어린이들의 현실 속 모험이었다. 친구 집 한번을 가도 평범하게 가질 못하니 말이다.

　우리가 살던 산골에서 부모님 지인들이 종종 놀러 오셨다. 도시 사람들은 종종 우리 집에 방문을 했다. 방문하면 다들 너무나 좋아했다. 나는 도시 사람들도 당연히 자연 속에서 풍요롭게 살 줄 알았다. 그런데 그게 아니었던 것이다. 그래서 내가 추측했던 건 도시는 복잡한 곳이라는 것이었다. 하지만 어른들은 그동안 많은 기술과 경험을 쌓아왔다. 산속에 살고 있던 나는 하나의 새로운 능력을 도시에서 온 어른으로부터 배우게 되었다. 그 기술은 바로 풀피리 불기이다. 이전까지의 나는 풀꽃의 이파리를 만지고, 뜯으며, 풀 반찬만 할 줄 알았다. 풀피리를 불게 된 상황은 이러했다. 해가 산 능선에 걸려있을 때, 한 도시 이모는 그 풍경을 보고 있었다. 나는 그 이모 옆에 앉아서 뭐 하고 있느냐고 물었다. 그렇게 대화를 시작했고, 어느 순간 이모는 풀잎을 하나 뜯어내게 쥐여 줬다. 그리고는 두 엄지손가락으로 풀잎을 잡아 당기라고 했다. 두 엄지 사이에 입술을 대어 바람을 불면 풀잎에 진동이 생겨 소리가 생겼다. 이 원리를 그 도시 이모가 알려주었다. 처음에는 어색했지만, 이모와 반복 학습을 하면서 나는 비소로 풀피리 능력을 습득할 수 있었다. 이게 도시 어른과 소통을 통해 산속에서 배운 나의 새로운 능력이었다.

인간이라면 누구나 자연스럽게 세상을 받아들이기 어려운 시기가 있다고 한다. 그걸 우리는 사춘기라고 부르는데. 그냥 스쳐 지나가는 사람들도 있다고 한다. 나에게도 이 사춘기가 있었다. 왜냐하면, 나이가 들면서 점점 더 큰 학교에 가면서 내 세상과 이 사회가 충돌하기 시작했기 때문이다. 작지만 풍요로웠던 산골짜기와 도로를 타고 내려가야 있던 마을이 세상 전부였다. 하지만 그게 마냥 좋은 건 아니었다. 그 시절 나는 세상이 어떻게 흘러가는지만 사고할 뿐 소속감을 갖고 그 사회 깊숙히 긴밀하게 들어가 보지 못한 사람이었다. 그래서 어느 날부터 마을에서도 도시에서도 학교에서도 이 사회시스템 속에 적응을 못 하는 나 자신을 발견했다. 학우들과 공통 관심사도 맞추기 어려웠다. 하루하루 치열하게 어울리려고 애썼지만 어울리기 어려운 학창 시절이었다. 그래도 돌아보면 학교 친구들과 희로애락을 즐기던 청춘의 시기이긴 하였으나 학급 친구들을 이해하고 공감해보려 애쓰는 것은 매번 체력소모가 너무 컸다. 나는 버티고 있었던 것이다.

조금 큰 동네, 이게 산골 밖 나의 살아가야 할 세상 전부라고 생각했다. 그러곤 '나는 이런 세상에서 살아가야 하는 운명이었나?', '이렇게 주어진 운명을 받아들여야 하나?' 라고 생각하며 혼란스러운 시기를 보냈다.

하지만 앞에서 언급했던 도시 이모처럼, 우리 집에는 산골 밖 세상 사람들이 종종 놀러 왔다. 그 중 내게 더 큰 세상이 있다는 건을 가장 처음 알려준 어른을 소개하고 싶다. 몇 해 전 더는 뵐 수 없게 되었지만 나에게 이 지구에 다양한 화폐들이 존재한다는 걸 보여주신 어른이 계셨다. 대한무역투자진흥공사인 코트라를 책임지는 자리를 맡으셨었다. 처음엔 그게 그냥 작은 회사인 줄 알았다. 하지만 어머니께서는 이 역할은 국가와 국가를 잇는 크고 중요한 역할이라고 말씀해 주셨다. 그게 크다면 얼마나 클지 감이 오지 않았다. 그것보다는 아저씨랑 한국 밖 세상 이야기하는게 더 재밌었으니 말이다. 하지만 대학을 졸업하기 몇 년 전 한국의 무역을 맡고 있는 큰 회사라는 것을 알게 되었다. 친근한 어른이었지만 내가 모르는 어른의 역할은 무거웠다. 그 아저씨와 대화할 때마다 사회에서의 역할 하나하나를 가볍게 여기면 결코 안 된다는 것을 배웠다. 새해마다 종종 일출산행을 같이 다녀와서 세배를 드릴 때면, 세상 이야기와 함께 다른 나라 화폐를 손에 쥐어 주셨다. 그 화폐들은 내게 세상을 찾아보게 해준 돈이었다. 내가 처음 으로 고등학생 때 환율에 대한 정의를 궁금해하고, 혼자 배낭여행을 떠나기 전, 아저씨가 나에게 앞으로 만날 더 넓은 세상을 화폐를 통해 가볍게 건네주셨던 것이었다. 그래서 나는 어른들을 통해 세상에 대 해 꿈꾸며 세상과 연결될 수 있었다.

2부. 새로운 세상과 혼란

20살, 이제 어른이 되었다. 어른이라고 할 수 있을지 모르겠다. 아니, 어른이 되었다고 말하기는 어려웠다. 이전까지 언니를 떠나 살아본 적이 많지 않았다. 나와 언니는 삶은 공유하고 살았다. 하지만 대학생이 되자 각자 학교로 떠나게 되었다. 그게 어른이 된 우리에게 생긴 첫 기나긴 단절이자 자주적인 삶의 시작이었다. 이제는 진짜 혼자가 되었다. 그렇지만 대학생활을 하면서 새로운 친구들이 생겼다. 고등학교와는 다른 친구들이었다. 무리지어 다닐 필요도 없고, 자기만의 꿈과 개성을 남들 눈치 보지 않아도 되었다. 이상한 애 취급받지 않아도 되었다. 같은 언어공부를 하는 친구들이지만 한 친구는 축구를 좋아했고, 한 친구는 음악을 좋아했다. 그 친구들은 내 있는 모습을 있는 그대로 받아주었다. 배우고 싶은 걸 배우고, 공감이 안 되면 이해해보는 대화를 나누며 대학생활을 보냈다. 여름방학을 맞이해 같이 계곡도 놀러 갈 계획도 짜보고, 배낭여행 중 어학연수 중인 친구와 1박 2일 여행을 다녀오기도 했다. 가족을 위해, 남을 배려하며 살아야 한다고 배웠던 시간이 길었던 나이기에 내 삶을 종종 방황하며 살았다. 그렇기에 나의 대학생활을 통해 나는 내 세상을 직접 그려가고 있었다. 진짜 어른이 되어 내가 직접 나만의 세상과 사회를 만들어간다는 걸 처음 생생하게 느꼈다. 그래서 가끔 울었다. 직접 경험하고 살 수 있기에 다행이라고 생각하며 말이다.

내가 지구에서 사는 것을 느끼게 해준 것 중 하나는 유럽에서의 삶이었다. 독일어가 전공인 나는 독일어를 한다고 할 수 없었다. 한국에만 있는 것에 배움의 한계를 느꼈기 때문이다. 일상에서 다른 언어에 노출될 기회는 거의 0에 가까웠다. 그래서 대학생 신분으로 유럽에 갈 방법을 찾아 유럽으로 건너갔다. 그렇게 유럽에서 여행하며 봉사활동을 했다. 내가 참여할 수 있는 현지 봉사활동을 찾고, 안전하게 떠돌아다닐 수 있는 방법들을 직접 시도했다. 그렇게 유럽 이곳저곳을 돌아다니며 색다른 생활환경과 생태 자연을 경험할 수 있었다.

독일에서 봉사활동을 하면서 즐거웠었던 것이 있다. 산으로 둘러싸인 한 시골 마을에서 유네스코 프로젝트를 했을 당시, 내 또래들과 같이 호수에서 수영하고, 햇살을 맞으며 산과 강을 걸었다. 그리고 잔디에 앉아 스케치하거나 책을 읽기도 했다. 그 시간은 내가 어른이 되었지만, 또래들과 자연을 느끼고, 삶을 느끼면서 내 옛 시절을 다시 느끼는 순간이었다. 친구들과 함께 사회와 자연을 연결짓는 순간이었다.

그런데 이상하게도 한국으로 돌아와보니 내 산을 제외한 다른 곳에서는 그런 삶을 느끼는 것이 쉽지 않았다. 풍요로웠던 자연과 단절된 결핍인 것 같다. 도대체 왜 유럽하고 다를까? 그런데 왜 우리는 지방 지역에서조차도 청년들이 함께 자연을 즐길 기회는 많지 않을까? 왜 한정되어 있을까? 수많은 의문이 존재했다. 그래서 지금까지 나름 겪은 경험과 고민 끝에 내린 결론은 큰 문화 집단 속에서 다른 문화를 적용하는 것은 생각보다 쉽지 않다는 것이었다. 대다수의 여가문화생활에서 카페나 백화점, 영화관을 갔지 같이 산에서 책 읽기는 없었다. 수영장이나 바닷가를 가서 래쉬가드에 자외선을 피하는 데 급급했지 햇볕을 쬐며 일광욕하는 것을 선호하지 않았다. 나 혼자서 큰 사회를 바꾸려고 하는 거나 다름이 없었다. 다양한 활동을 즐겁게 하기에는 대다수가 익숙한 활동문화는 바로 건물 속에서 이뤄지고 있었던 것이다. 이미 세상에 다양한 삶이 있다는 것을 봐버린 이상, 나는 더 별난 사람이 되어버린 것이다.

그렇게 2년에 걸쳐 대학생활과 유럽 독일에서 봉사활동을 병행해 가며 학문과 지식을 비교하며 살아왔다. 그러다 대학을 졸업하기도 전, 코로나가 터졌다. 그러면서 우리나라 이상한 현상이 나타났다. 사람들은 자연과의 단절을 깨닫기 시작했고, 사회는 기술의 발전 덕에 교육과 일자리들이 온라인으로 연결되기 시작했다. 어디든 말이다. 그 덕에 나도 고향으로 돌아왔다. 나는 산골집순이가 되었다. 집순이가 되어도 이 세상은 나를 소외시키지 않았다. 바이러스가 세상이 돌아가는 속도를 늦췄기 때문이다. 나는 그래서 산골에서 학교 수업을 들으며 수업 외에는 햇볕을 쬐고, 밭일하고, 강아지랑 산책하며 지냈다. 그러다 돈이 궁해 다시 학교에서 자취하면서 돈을 벌었다. 그리고 나에게 프로젝트가 생겼다. 오프라인과 온라인을 잇는 프로젝트가 시작되었다.

미팅은 온라인 속에서, 자원발굴은 로컬에서, 일상은 산속에서 보냈다.

그렇게 진짜 현실은 가족이 전부인 세상이 되었다.

그러다 한 사건으로 인해 집을 다시 나오게 되었다. 긴긴 장마가 있었던 시기, 집 앞산이 무너져내린 사건이 생겼다. 혼자 있을 때 말이다. 자연 앞에서 너무 큰 무력감을 느꼈고, 이러다간 가족의 기능을 잃을 수 있겠구나 라는 것을 느꼈다. 다행이었던 것은 우리가 모두 살아있었고, 나 혼자 집에 있었다는 것뿐이었다. 토지와 건물을 괜찮지만 난 마음 속 깊은 곳에 상처를 입었다. 그래서 도시 속으로 숨어들었다. 다수 사람들이 사는 방식을 관찰하며 사회 속에서 숨어있었다. 내가 생존하려면 하루라도 더 젊을 때 빨리 사회 속 혼란이라는 파도를 맞아야겠다고 생각했기 때문이다.

그래서 하나의 사회인 한국에서 사회의 일원이자 청년이자 나로 살아보기로 했다. 살아보면서 처음에 느꼈던 도시의 색깔은 회색이었다. 도시에서의 여가생활은 좀 처럼 흥미있는게 많지 않았다. 퇴근하면 지치기도 해 여유가 없었다. 그렇게 답답한 도시를 살다가 대학생 시절 들었던 도시재생 사례들을 알아보고자 다시 나갈 준비를 했다.내가 눈여겨본 도시는 스페인 빌바오이다. 도시재생 우수 사례 도시로 뽑힌 지역이기도 했고 내가 산골에 살았을 때, 한국소셜임팩트 사례 조사하러 온 스페인 친구들의 고향이기도 했다. 마드리드가 서울이라면 빌바오는 강원도에 있는 태백이라고 말할 수 있을 것 같다. 하지만, 사례를 찾아 외국으로 나서는 여정에 빌바오 하나로 만족스럽지 못했다.

지속 가능한 건강한 라이프스타일, 여행을 만들기 위해 어떤 사회,

문화를 찾아봐야 할까 수많은 고민 끝에 눈여겨봤던 활동을 넣었다. 그것은 바로 서핑, 아웃도어 문화였다. 스페인에서 바다와 산이 있는 칸타브리아 지방, 코미야스에 위치한 서핑 및 워케이션을 할 수 있는 곳이었다. 그래서 이곳에서 워케이션을 하며 지구촌을 이해하거나 생태 자연을 관찰해보고자 했다. 이곳을 선택한 이유 중 하나는 음식이다. 음식은 현지에서 공급하는 식재료들로 제공이 되었다. 그래서 건강하고 맛있는 현지요리들을 맛볼 수 있었다. 다른 이유는 에너지낭비를 최소화한 숙박 환경이었다. 외부의 빛을 받아들일 수 있게 희색 천막으로 사용했고, 각 방의 모든 전등은 스탠드 조명 하나로 자연광 및 최소화된 에너지 소비를 지향했다. 그리고 보통 낮에는 라운지와 외부활동을 하기에 그마저도 잘 쓰지 않았다. 이곳은 모두의 수면건강과 에너지 소비를 고려해 운영 규칙을 만들어 두었다. 11시에는 점등을 하며 달빛 제외하고는 모든 곳이 아늑한 어둠 속이었다. 기후환경에 대한 문화를 자연스럽게 녹여내는 이 인프라가 너무 인상이 깊었다. 캠프 주변 환경은 계곡과 강, 바다, 언덕, 산, 마을, 건축물들이 있었다.

　스페인 시골 휴양지라고 말해야겠다. 이곳에서의 루틴을 소개하자면 오전은 자연 속에서 아침을 먹으며 시작하고 오전 업무나 서핑 수업을 들었다. 그리고 낮에 자유롭게 서핑을 즐겼다. 그리고 저녁 업무가 끝나면 한 번 더 서핑을 하곤 했다. 서핑하는 장소는 드넓은 모래사장이 끊임없이 이어져 있고, 높고 낮은 파도가 쉴 새 없이 몰아치는 곳이었다. 저녁 업무까지 끝내면 영양소를 고려한 맛있는 저녁 한 끼로 일과를 마쳤다. 남은 시간이 있으면 캠프에서 새로 만난 친구들과 문화생활을 하거나 인생사에 대해 얘기하며 쉬었다. 스페인에서의 여정은 어땠냐면, 모든 게 다양해서 혼란스러울 때도 있었지만, 그 사람들과 문화 속에서 나는 나로 존재했다. 그래서 스페인의 자연과 문화 속에서 나는 내 감각으로 경험했다는 게 잘했다고 생각했다.

　그렇게 산에서 지내고 도시에서 지낸 2n 년, 그렇게 업과 모험을 쌓아가며, 세상을 넓히고 잘 살기 위한 자신만의 방식이 생겼다. 바로 취미활동을 통해 문화를 넓히는 것이었다. 그래서 스윙 댄스가 나의 취미다. 스윙은 나라와 나라를 연결해준다. 그래서 처음 포르투갈 리스본 한 공원에서 스윙을 봤을 때 흥미를 느꼈다. 10대부터 6~70대까지 나이도 다르고, 인종도 다른 사람들이 하나의 춤으로 공원에서 다 같이 즐기는 모습을 보고 이 세상을 알아야겠다고 생각했다. 한국에도 스윙 문화가 있다는 것을 알게 되자 춤을 배웠다. 그 춤의 문화 속에서 새로운 사람과 사회를 만나며 나의 세상을 만들어 갔다. 그렇게 한국 안에 있는 스윙사회에 녹아들기 시작했다.
　스윙은 사람과 사람의 문화라고 하면, 또 다른 하나의 취미는 등산이다. 취미는 다짐으로 부터 시작하는데, 자연에 대한 체감을 더이상할 수 없어서 공허함을 많이 느꼈다. 언제까지 단절되며 살것인지 참으로 잔인한 삶이라고 생각했다. 산이 나의 일상이 되었으면 싶었지만, 현실은 쉽지 않았다. 그래서 과거 속 고향을 그리워하며 갈망하며 등산을 취미로 만들어버렸다. 내 고통과 행복 그 순간들을 즐기려 하다 보니 취미란 게 되어버렸지만 그게 자연에서 생존했을 때보다 무게감이 덜했다. 그리고 또 다른 즐거움은 다른 동네 자연들도 내 탐구 영역이 된다는 것이다. 그래서 말하고 싶었던 것은 '이게 사람답게 사는 것 아닐까?' 라는 것이다.

시속 2nkm 의 나이를 먹고 있는 내 세계를 풀어보자면, 더 넓으면서 작은 사회에 들어왔다. 이상하게 작은 사회임에도 길을 헤매는 청년이 되었다. 도시는 음식도, 문화도, 사람도 넘쳐나는 곳이었지만 나는 도시가 여전히 고독의 공간이었다. 길을 잃은 기분이었다. 왜 하루에 상당히 많은 시간과 일들은 날 위해서가 아닌 회사를 위해 할까…? 가끔 퇴근하고 지친 몸을 집으로 끌고 와 침대에 누워 쓰러져 자고 일어나면 인생의 하루를 잃어버린 기분이 들 때가 있다. 정신없이 살아가다가 애 하루하루 겨우겨우 회복하는 나날을 보내니 무엇을 위해 내가 이 사회에 존재하는지 점점 잊혀져 간달까. 그래서 고향이 그리웠다.

오늘 날의 세상은 건강하면서 건강하지 않은 세상이다. 종종 건강은 한정되어 있다는 것을 느낀다. 하루만에 회복되는 것도 있지만, 장기적으로 노력해야 하는 것도 있다. 그래서 우리의 회복도 더뎌지는 것 같다. 변화를 체감 못할 수도 있지만 오늘 날 살아가는 사람과 자연을 관찰해보면 잘하면 건강한 루틴, 잘못되면 악순환이 된다. 티나지 않기에 더 위험하다고 생각해 항상 스스로 기준을 갖고 되돌아보며 경계를 한다. 그럼에도 건강해지지 않는다. 우리는 건강함을 대신에 무엇에 에너지와 시간을 쓰고 있었던 걸까?

인간으로 태어나 삶을 살아가는 과정은 신기하다. 생각보다 복잡하고 신경 쓸게 많았다. 사회 속에서 커리어를 쌓아야 하는 시간은 제한되어 있고, 인정받고 안정된 사회 구성원이 되고자 일도 하고, 도시로 내려와 자립하고, 직장인, 프리랜서, 강사, PD, 작가 등을 하며 정신없다. 내가 자라온 자연을 진짜 소통할 일이 사라져버렸다.도시에 갇혀 취미라는 한정된 활동 속에 자연을 가둬서 그런걸까? 그래서 종종 진짜 내가 놓치고 있는 게 있을까 봐 덜컥 겁이 나며 불안해할 때가 있다.

현재와 이야기가 가까워질수록 카오스가 뭉텅이로 보였을 것 같다. 앞으로도 어떻게 살지 잘 모르겠다. 하지만 하나의 각오를 하자면, 모두가 처음 갖고 있는 이 삶을 나는 멍청하게 살아가야겠다. 멍청하게 똑똑하고, 멍청하게 좋아하고, 멍청하게 사랑해야지. 그리고 멍청하게 울어야지. 이 주어진 삶이 내 삶을 알아차릴 수 있게 말이다. 운이 좋으면 내 이 감각을 누군가들도 같이 느껴봤으면 좋겠다.

END

여행하는 개발자 - 뉴질랜드

비엔나소시지

비엔나
소시지

소프트웨어 개발자의 길을 선택한 동시에 여행을 시작했다. 평소 낙천적이고 계획성 없는 성격을 지녔지만, 개발자로서의 삶은 달랐다. 정해진 일정과 계획성, 모든 예외에 대해 예측해야 한다. 지친 마음을 달래기 위해서 시작된 여행이 10년 동안 25개국 이상을 돌아다녔다. 팬데믹이라는 긴 시간 동안 여행에 대한 마음은 더 간절했다. 마침내 해외로 가는 길이 다시 열렸고 한 번도 경험하지 못했던 대자연이 펼쳐지는 뉴질랜드로 떠나기로 했다.

인스타그램: @vienna.sosigv

칠흑 같은 어두운 밤. 낯선 곳 뉴질랜드의 첫발을 내딛는 순간.

'아! 뭐야? 봄이라며? 여기 남극이라 가깝지?'

봄이라는 날씨 하나만 듣고 긴 팔에 반바지, 삼선 슬리퍼를 신고 뉴질랜드에 도착했다.

긴 장거리 비행에 머리는 부스스하고 남쪽에서 불어오는 찬 바람을 세차게 맞으며 낯선 곳에서 갑자기 두려움이 밀려오기 시작했다. 추위에 몸은 한껏 움츠러들어 목이 아파져 왔다. 이럴 때일수록 침착하자고 속으로 외쳤다. 어깨를 한번 쫙 펴고 하늘을 올려다본 순간 하늘에서 수많은 별이 당장이라도 쏟아져 내릴 것 같았다.

내가 그토록 갈망하던 청정 자연의 뉴질랜드의 밤이다.

굉장히 즉흥적인 성격이라 지도를 펼쳐 놓고 보다가 맘에 들면 고민 없이 여행지로 선택한다. 이번 여행도 그랬다. 팬데믹 상황에 역마살을 풀기 위해 로드뷰로 세계 일주를 했다. 마침내 종식 선언과 함께 대자연이 펼쳐지는 뉴질랜드로 떠나왔다.

솔직히 티켓을 끊고 나서 고민이 많았다. 생각보다 퀸즈타운에 대한 정보가 없었다. 즉흥적이지만 후 고민을 많이 하는 편이다. 어차피 정보가 없다면 단 한 번도 경험하지 못한 자연에 자연스럽게 스며드는 여행을 해보자.

입국 심사장의 모습은 굉장히 삼엄한 분위기와 깐깐함에 긴장이 되었다. 전날 공항에 테러 신고가 들어와서 폐쇄되었었다. 나는 10만 명 중에 한 명인 코로나 백신 쇼크가 있었던 행운아다. 그래서 항상 스테로이드제를 챙겨 들고 다닌다. 이곳에서는 마약류로 분리된다고 했다. 앞서간 사람들이 짐을 하나씩 풀어 헤치고 검사를 하고 있었다. 괜한 노파심에 심장이 조여 왔다. 이런 상황에서 최대한의 방법인 자진 신고를 하러 이동했다.

'친애하는 뉴질랜드여. 항상 동경 하던 … 모든 규율을 따를 것 … 나를 도와 달라'

급하게 번역기를 돌려 세관에게 보여줬다. 한번 피 씩 웃더니 갑자기 한국인 세관을 불러줬다. 연착 덕분에 야간 근무 중인 한국인을 만날 수 있었고 생각보다 쉬운 입국을 할 수 있었다.

숙소에 도착해서 하늘을 계속 올려다보며 한참을 서성거렸다. 맑은 공기와 어두운 밤하늘의 별을 보며 우주에 온 것 같았다. 사장님 내외분이 그 모습을 보고 버선발로 마중을 나와 주셨다. 눈빛만 봤는데도 추워서 얼어붙어 있던 몸이 따뜻함에 녹아내리기 시작했다.

방안은 마치 동화 속에 들어온 것 같은 아기자기한 소품들과 당장이라도 잠들 것 같은 따뜻한 이불, 하늘을 올려다볼 수 있는 창문이 있었다. 지친 몸을 기대어 별자리들을 보며 한참을 감격에 빠져 있었다. 조금 후 별들의 따스한 불빛을 무드 등 삼아 스르르 잠이 들었다.

우리나라와 반대의 계절을 가진 뉴질랜드의 아침은 봄 그 자체였다.

창문을 타고 내려온 햇살에 잠이 깼다. 기지개를 한번 쭉 펴고 고개를 내밀었는데 숙소 뒷마당 새하얀 목련이 활짝 만개해 있었다. 그 뒤로는 아직 녹지 않은 새하얀 눈으로 뒤덮인 산들이 마을을 우두커니 지키고 있었다. 정말 신기하게 봄과 겨울이 같이 있는 계절이다.

아침 식사 시간 전날 못 봤던 다른 게스트들도 볼 수 있었다. 오세아니아 지역에서 봉사 활동을 하는 사람, 긴 연휴에 휴가를 온 사람도 있었다. 그중 공항 폐쇄로 여행 일정이 늦춰진 친구가 있었는데 사장님께서 자연스럽게 동행을 만들어 주셨다. 숙소 예약 전 차가 없어서 투어를 예약했었는데 투어 대신 동행을 만들어 주셨다. 사실 차를 얻어 타는 입장이라 민폐를 끼칠까 거절했는데 정말 고맙게도 흔쾌히 받아 주었다. 사장님께서 내게 말 했다.

"참 복이 많은 사람이야"

자동차 창문 너머로 따스한 봄의 햇살을 맞아가며 푸릇푸릇한 산들과 한적한 도시의 길을 만끽하고 있었다. 마치 밥 아저씨가 그려준 한 폭의 수채화 같았다. 길가에는 초록빛 나무들이 그 옆에는 에메랄드 빛 호수가 펼쳐졌다. 주변에는 아직 눈 덮인 산들이 펼쳐져 있었고 산봉우리가 매서울 정도로 우뚝 솟아 있었다.

목적지인 반지의 제왕 촬영지에 도착했다. 정말 너무나도 평화로운 마을에 행인 한 명 찾아보기 힘들 정도로 한적했다. 조금 걷다 보니 황금빛 잡초와 갈대들이 우거진 산책 코스가 나왔다. 한쪽에는 마치 슈거 파우더를 뿌린 것처럼 새하얗게 빛나는 설산이 펼쳐졌다. 조금 더 걸어가자, 평화로움과 용맹의 상징인 호빗이 당장이라도 뛰어나올 것 같은 드넓은 초원과 잔잔한 호수가 나왔다. 호수는 마치 세상을 뒤집어 놓은 것처럼 산과 구름이 반짝이는 물결에 빛나고 있었다. 다시금 하늘을 올려다봤을 때 모짜렐라 치즈 모양의 구름이 하늘 위에 두둥실 떠 있었다. 왜 감독인 피터 잭슨이 이런 곳에 촬영지를 정했는지 알 수 있었고 천천히 이곳을 만끽하고 느끼며 한참 시간을 보냈다.

시내로 돌아가 다음날 먹을 간식과 비상식량을 단단히 준비 했다. 그 이유 중 하나가 밀퍼드 사운드라는 곳에 가려는데 완전히 남쪽으로 돌아가서 호수와 바다가 만나는 험난한 곳이다.

다음날 늦은 저녁인지 새벽인지 구분도 안 되게 이른 출발을 했다. 출발 전 부엌에서 갑자기 부르는 소리가 났다. 사장님께서 도시락을 준비해 주셨다. 밀퍼드 사운드에서 먹을 LA 갈비가 듬뿍 들어간 김밥과 라면, 과일까지 담겨 있었다. 도시락을 손에 쥐고 따뜻한 마음에 울컥하고 있었는데 사장님이 활짝 웃으며 내게 말했다.

"참 복이 많은 사람이야"

잠시 머물다 가는 사람 중 한 명인데 정말 알뜰살뜰 챙겨주셨다. 낯선 곳에서 이렇게 보살핌을 받을 수 있다는 건 참 복 받은 일이다.

문밖을 나서는 순간 차디찬 바람이 휘몰아쳤다. 차 앞 유리는 성에가 잔뜩 껴서 한 치 앞도 볼 수 없는 상황이었다. 시간을 지체 할 수 없어 겨우 운전자석만 앞을 볼 수 있을 정도로 하고 출발했다. 밀퍼드 사운드는 피오르드 해안을 항해 하는 곳이라 배 시간이 정해져 있어서 빠르게 서둘러야 했다. 문제가 있었는데 아무리 옷을 껴입어도 너무 얇았다. 기초 체온이 남들보다 높은 편인데도 불구하고 온몸을 덜덜 떨면서 갔다.

도로는 예상처럼 험난했고 길은 모두 1차선 도로였다. 오세아니아 지역은 자연을 훼손시키지 않기 위해 최소한의 도로만 두었다고 한다. 그 덕분에 자연과 하나가 되며 여행을 즐길 수 있었다.

오르막길을 끝없이 달리고 달리다 보니 드넓은 초원들이 보이기 시작했다. 이렇게 웅장한 산길 사이에 말도 안 되게 아름다운 광경이 펼쳐졌다. 맑은 날씨에 햇살이 내리쬐는 초록빛의 초원, 양 떼 같은 구름 아래 양들이 평화로이 풀을 뜯고 있었다. 태어나서 양이 되고 싶다는 생각을 처음 해봤다. 굽어진 길이여서 조금 가다 보면 다시 산이 보이고 또다시 가다 보면 초원이 보이는 장관을 만끽했다.

예상보다 1시간 정도 늦은 시간 한적한 시골 마을에 도착했다. 몇 가구 살지 않는 곳이었지만 모든 여행객이 쉬어가는 곳이었다. 마을 앞에는 국립공원이 있었고 어제 본 호수와는 또 다르게 정말 빙하가 녹아서 만들어진 호수인가 싶을 정도로 짙은 에메랄드빛 호수가 펼쳐졌다. 호수를 배경으로 조깅을 하는 사람들도 있었고 한적하게 카누를 타는 사람들도 있었다. 호수 뒤로 역시 아름다운 설산이 펼쳐져 있었다. 시간이 조금 더 있었더라면 카누를 타며 여유 부리기 딱 좋은 곳이었지만 아쉬운 마음을 뒤로 한 채 작은 카페로 향했다. 카페에 도착과 동시에 빠르게 주문했다. 길이 너무 굽어져서 예상했던 시간보다 더 걸리고 있었다.

앞으로 가야 할 길은 많이 남았는데 마음이 급해졌다. 음식이 나오기 전 강추위에 옷을 살 수 있는 곳을 찾았는데 정말 딱 한 곳이 있었다. 바다에 가는 거라 지금 옷차림으로는 버틸 수 없을 것 같았다. 사람이 간 절하면 초인적인 힘이 생긴다고 했던가. 우사인 볼트처럼 빠르게 달려 옷을 사 왔다. 커피에 시럽을 잔뜩 넣고 떨어진 당을 충전했다.

식당이 있는 마을은 여기 하나라 기대감이 없었는데 만족도가 아주 높았다. 뉴질랜드를 그려 놓은 듯 갓 구워진 토스트 위에 새하얀 슈거 파우더가 뿌려져 있었고 봄을 알리는 듯한 알록달록 이름 모를 열매들이 올려져 있었다.

휴식을 끝내고 다시 이동 하기 시작했다. 차창 밖으로는 당장이라도 연어가 뛰어나올 것 같은 계곡이 펼쳐졌고 계곡을 지난 후 정말 믿기지 않는 넓디넓은 황금빛 초원이 나왔다. 정말 아무것도 없는 허허벌판이었는데 저 멀리 보이는 만년설들이 들판을 병풍처럼 감싸고 있었다. 처음으로 차를 갓길에 세우고 들판에서 자유롭게 뛰어다녔다. 시간이 흐르는 줄도 모르고 사진도 찍고 들판에 앉아 여유를 부렸다.

정말 시간이 얼마 남지 않았다. 길은 더 험난해 지기 시작했다. 외길과 함께 굵은 빗줄기가 떨어지기 시작했다. 조금 지나지 않아 언제 보수공사를 했는지 모를 허름한 터널이 하나 나왔다. 가로등 하나 없고 천장은 목조로 만들어진 어두운 외길 터널이었다. 자동차 불빛 하나만 의존해서 혹시 반대편 차량이 오지 않을까 조마조마하면서 터널을 지났다.

터널을 지나자마자 겨울왕국이 시작되었다. 여기서부터는 정말 만년설들이 보이기 시작했다. 그리고 만년설을 증명하듯 굵은 빛 방울이 눈으로 변하기 시작했다. 터널 하나를 두고 믿기지 않는 풍경이었다. 눈 앞에 펼쳐진 산들은 종이 한 장만 대도 베일 것처럼 날카로웠다. 아래로는 깊이를 알 수 없는 절벽이 보이고 구름과 안개에 가려 앞을 잘 볼 수 없었다. 그런데도 평생 볼 수 없는 풍경이었다. 궂은 날씨에도 불구하고 이것이 신선인가 하는 생각이 들었다. 목적지에 가까워질수록 거친 바람은 더 많이 불었다. 그만큼 이동하는 시간도 오래 걸렸다.

주차장에 들어서니 시간이 촉박 했다. 문제는 선착장에서 티켓 교환이 필요했다. 한 치의 망설임도 없이 입에서 피 맛이 날 정도로 뛰었다. 그래도 입가에 웃음이 떠나질 않았다. 수많은 사람들을 뚫고 다행히 제일 마지막으로 배에 탑승할 수 있었다.

출발을 알리는 뱃고동 소리와 함께 남극과 이어지는 바다로 향했다. 저 멀리 보이는 대자연의 협곡들이 마치 텃세를 부리듯 강한 인상을 심어 주었다. 차디찬 눈바람과 함께 주머니에 챙겨온 사장님이 주신 김밥과 컵라면을 꺼내서 호호 불면서 먹기 시작했다. 세상천지에 이렇게 맛있는 음식은 또 없을 정도로 대자연의 경관을 반찬 삼아 맛있는 한 끼를 해결했다.

조금 지나자 거센 파도가 출렁이기 시작했고 안내 방송이 나왔다. 드디어 바다와 가까워지고 있었다. 한쪽에서는 하늘에 맞닿은 높은 협곡 위에서 거대한 폭포가 당장이라도 지구를 뚫을 기세로 쏟아지기 시작했다. 폭포 아래 가까이 갔을 때 자연 앞에서 나는 아무것도 아닌 존재였다. 그저 자그마한 생명체 중의 하나였다. 전날까지 가뭄에 폭포가 거의 내려오지 않았다고 했다. 정말 운이 좋게도 비가 많이 와서 힘찬 폭포를 즐길 수 있었다.

거친 눈과 비, 바람. 그대로 온몸으로 맞고 있으니, 자연과 정말 하나가 된 듯한 묘한 기분이 들었다.

이윽고 알 수 없는 감정에 복받쳐 올랐다.

그렇게 낭만과 감성에 젖어 있을 때 옆에서 갑자기 환호성이 들려왔다. 사람들이 배 한 쪽으로 몰려들기 시작했다. 궁금함에 여기저기 살펴보고 있는데 저 멀리 손톱만 한 귀여운 펭귄이 뒤뚱뒤뚱 걸어가고 있었다. 바로 남극 펭귄이었다. 이제부터 정말 바다에 왔다. 여기서부터 가늠조차 할 수 없는 망망대해가 펼쳐졌다. 배는 5분 정도 그곳에 정차해 주었다. 망망대해를 보고 있자니 저 멀리 남극 빙하 위에 있을 펭귄들이 궁금해지기 시작했다.

시간이 어떻게 흘렀는지도 모르게 다시 선착장에 도착했다. 험난한 길에 멀미도 하고 추위와 사투도 벌였지만, 대자연을 온몸으로 경험할 수 있는 좋은 선택이었다. 밀퍼드 사운드는 그곳이 목적지가 아니라 가는 길 차제가 예술과도 같다. 자연을 배경으로 한 폭의 그림들이 곳곳에 널려있다. 돌아오는 길 여유가 생기니 포토 존 표지판을 따라 갓길에 정차하여 자연의 예술을 감상했다. 그렇게 어느덧 해가 저물고 있었다. 때마침 잔나비의 가을밤에 든 생각이라는 노래가 흘러나왔다. 정말 뉴질랜드의 배경 음악이라고 할 수 있을 정도로 잘 맞았다. 그렇게 어느 멋진 날 10월의 아름다운 밤하늘의 추억을 또 하나 만들었다.

늦은 저녁 숙소로 돌아와 따뜻한 된장국 한 사발을 들이켜고 아쉬운 동행과의 마지막 인사를 전했다. 정말 흔쾌히 동행 제안을 받아주어 고마웠고 추억을 만들 수 있어서 굉장히 좋았다.

다음 날 혼자인 무계획 여행을 시작했다.

가끔 혼자 무계획 여행은 기대하지 않아 더 재미있고 오롯이 나에게 집중 할 수 있는 시간이다. 그동안 차로 이동했던 마을을 도보로 이동 하기 시작했다. 거대한 와카티푸 호수를 중심으로 마을 산책로가 정말 동화 속에 한 장면이다. 걷고 또 걷고 내 숨소리에 귀를 기울이기도 하고 발걸음을 흘러나오는 음악에 맞춰 춤을 추기도 했다. 오롯이 흘러가는 시간 속에 나에게 맞춰 여행을 즐겼다. 힘들면 벤치에 앉아 바람에 흔들 거리는 요트들도 구경하고 그 뒤에 마을을 지키고 있는 산들도 구경했다. 트래킹 하다 마주 치는 사람들과도 반가운 인사도 나누었다.

걷다 보니 아무도 없는 조용한 요트 선착장에 와있었다. 가장 배경이 좋은 곳에 자리를 잡고 앉아 노래를 틀었다. 정말 돈 주고 절대 살 수 없는 낭만이다. 공항이랑 가까운지 거대한 산과 호수에 둘러싸인 마을 하늘 위로 비행기가 오갔다. 비행기가 오갈 때마다 인사를 건넸다. 그래야 내가 다시 뉴질랜드에 왔을 때 누군가 나처럼 반겨 줄 것이다.

뉴질랜드에서의 여행은 항상 행운이 따랐다. 사람, 날씨 모두 복이 많았다. 대자연 앞에 순리대로 순응하니 모든 것들이 잘 풀렸던 것 같다. 욕심도 없었지만, 인복이 넘쳐났다. 여행을 자주 하다 보면 지금, 이 순간이 행복하고 간절해지지 않을 때가 있다.

사장님 내외는 매일 내게 그렇게 말했다.

"참 복이 많은 사람이야"

이 말을 듣지 않았다면 어쩌면 하루하루 의미 없는 시간을 보냈을 수 있었을 것 같다 그 말처럼 복이 많은 사람이었다. 내가 가진 것들, 노력한 것들에 비해 정말 주변의 많은 도움을 받고 행복한 사람으로 거듭나고 있다. 지금이 글을 읽어주는 독자 여러분들 항상 자존감을 높여주는 친구들 두말할 것 없이 나를 지지해 주는 가족들 모두 정말 고맙다. 마지막으로 뉴질랜드에서 나와 스쳐 갔던 모든 사람 정말 진심으로 고맙다.

다시 때 묻지 않은 대자연에 도전하려고 한다. 조만간 멘토들과 함께 덴마크에 있는 페로 제도라는 곳에 곧 갈 예정이다. 뉴질랜드보다 인프라가 더 잘 안 되어 있는 작은 섬이기에 조금 더 대자연과 가까워질 수 있을 것으로 생각한다. 가끔은 욕심을 내려놓고 계획된 삶을 살지 않는다면 작은 모든 일에도 더 큰 행복을 느낄 수 있을 것이다. 만약 지금 무언가 고민하고 있다면 지금 당장 하늘을 봐라. 자연에 오롯이 나를 맡기고 귀 기울인다면 당신이 지금, 이 순간 얼마나 행복한 사람인지를 깨닫게 해줄 것이다.

남단의 끝에서

김정아

김정아   무색무취의 은둔자로 태어나 살아남기 위해 무지개 빛 인간으로 노래
하며 살아가는 소프라노. 자유인이며 자본주의자이면서 한량을 꿈꾸
는 아나키스트.

인스타그램: @sopranokja

"하지만 인간은 패배하도록 만들어진 것은 아니니까." 노인은 말했다.
"인간은 죽을지는 몰라도 패배하는 것은 아니니까."
- 〈노인과 바다〉, 어니스트 헤밍웨이

누구나 자신만의 목적과 방향을 가지고 인생을 살아간다. 우리들은 모두 삶 속에서 마주하는 기쁨, 행복, 성공, 슬픔, 고난, 고통, 실패 등의 수많은 경험들로 조각되어 유일무의한 존재로 남아 단 하나뿐인 자신의 삶을 완성시키고 소멸된다. 이 글은 인생의 중턱에서 고뇌하는 한 예술가의 이야기이다.

[뉴욕 카네기홀]

그간 평생의 꿈이었던 뉴욕 카네기홀과 링컨센터에서의 화려한 조명과 환호를 받으며 성공적으로 무대를 마쳤다. 운명의 장난이었을까 축복이었을까? 노래만 바라보고 내 인생을 송두리째 헌신했던 기억의 조각들이 주마등 스치듯 지나간다. 그동안 평생 내 마음에 쌓여있던 울분과 원망들은 모두 날아가 버린다. 참을 수 없이 나를 옥죄던 고난과 역경들은 베스트셀러를 만들기 위해 일부러 더 가혹하게 몰아쳤던 신의 의도였을까? 이제는 그 모든 것이 신기하게도 한순간에 눈 녹듯 사라져버린다. 뿌듯한 마음으로 뉴저지에서 근사한 저녁 식사와 주의원 상장까지 한가득 품에 안고서 허드슨 강을 건넌다. 반짝이는 맨하탄을 가득 메운 빌딩들의 불빛이 강에 녹아내린다. 꽃다발 한 아름에 하이힐을 신고서 궁둥이를 요염하게 흔들어대며 메트로폴리탄 거리를 활보하여 셀럽임을 만끽한다. '마침내 이 세상은 내 것이다! 내 인생은 완벽하다!'. 그렇게 나에게 결국 주어진 짧고 찬란한 트로피를 후회없이 만끽한다. 그리고는 맨하탄의 화려한 빌딩들이 내려다보이는 모든 것이 완벽한 호텔 룸에 홀로 들어와 이제는 작별을 고한다. 모든 것을 다 가진 시간이 나에게는 마지막 시간이었다. 누군가에겐 음악 인생의 시작점이 될 수 있는 이 시간이 나에게는 마침표를 찍는 날이었다.

클래식 음악가와 그 세계. 표면적으로 아름답고 우아하게 포장된 이 견고한 성. 이곳은 이미 정해져 있는 사람들이 만들고, 이미 정해져 있는 방법으로 만들어지며, 이미 정해져 있는 궤도로 마무리되는 그들만의 펜트하우스다. 노래를 잘하고 좋아한다는 이유 하나만으로 자신만만한 올챙이처럼 그 거대한 성의 문을 열어 맨발로 들어갔던 한 소녀는 그저 해맑기만 했다. 그 성의 사람들은 그녀를 매우 젠틀한 미소로 맞이해 주었고, 그녀에게 호기심을 느꼈다. 그들은 그녀와 늘 함께 있고 싶어했지만 자신들과 동질화 한 것은 아니었다. 함께 식사 자리에 초대해 주었으나 다른 음식을 제공하기도 했고, 매우 수준 높은 예의를 가장하여 소녀를 장난감처럼 가지고 놀기도 했으며, 그저 순수한 소녀의 해맑음을 비웃기도 했다. 감히 보통의 집안에서 평균 이상의 재능을 가진 그녀는 자신이 있지 말았어야 할 곳에 발을 들이고 말았다. 그곳은 혼자서는 살아낼 수 없는 철옹성이었다. 푸른 수염의 신부가 되지 않고서는.

아무것도 몰랐었기에 시작할 수 있었으리라. 그리고 그 사실을 깨달았을때는 이미 돌이킬 수 없는 강을 건너고 있었다. 그때 문을 열고 나갈 수도, 그렇다고 그 지옥에 계속 있을 수도 없었다. 그녀는 인생을 송두리째 바쳐 자신의 무지함에 대한 잔혹한 대가를 몸소 받을 수 밖에 없는 운명이었다. 그녀가 한가지를 이루기 위해 열 가지를 준비하고 마라톤에 나가 목숨 다해 달려 목적지에 다다르면 그들은 리무진을 타고 결승선에 나타나는 삶의 반복이었다. 점차 소녀의 재능은 그녀의 발을 붙잡는 쇠고랑이 되어왔다. 좋아서 시작했던 노래는 일이 되었고, 결국 그녀는 새장 속에 갇힌 예쁜 종달새가 되었다. 고객의 취향에 맞춰진 사랑 받고 아름다우며 잘 팔리는 화려한 앵무새. 자유와

독립과 영혼이 메말라 버린 종달새. 이제는 펜트하우스에서 태어난 아이들보다 더 우아해져 그들의 부러움까지 받는 유리 가면을 쓴 바비인형이 되었다. 결국 그녀의 육체는 살아남았으나 영혼은 숨을 거뒀다. 내 영혼과 맞바꾼 노래는 그렇게 내 숨을 조였다. 목숨을 다 바쳐서 하나뿐인 젊음을 평생 소비한 시간의 결과 이제 얻은 것은 겉만 화려하게 빛나고 속은 비어있는 빈 깡통이었다. 이것은 가치있는 삶일까? 무엇보다 이제부터 앞으로 더 나아가기엔 나의 힘만으로는 애초에 불가능하다는 사실을 이제라도 알게 된 나에게 감사한다. 마침내 무지에서 벗어나 이제라도 세상을 읽게 된 나에게 축복을! 내 노력만으로 도착할 수 있는 마지막 종착지, 지금 이곳이다. 주어진 운명에 순응하지 않고, 자연을 거슬러 욕망을 위해 살아온 나의 결말. 메피스토펠레스. 네가 이겼다. 이제는 모든 것이 지긋지긋하다. 카네기홀. 내가 나만의 힘만으로 이뤄낼 수 있는 마지막 관문. 이 정도면 충분히 잘해왔다. 다시는 끝나지 않고 내 영혼을 좀먹는 이 불안한 게임에 발도 들여놓지 않으리라. 꼴도 보지 않으리라. 뒤도 돌아보지 않고 한치의 아쉬움 없이 너에게서 도망가리라.

[키웨스트]

    뜻깊은 연주를 함께한 동료들과 헤어지고 뉴욕에서의 마지막 밤을 치른 후, 드디어 제대로 된 혼자만의 자유로운 시간이다. 이제는 나에게 음악 인생 고별잔치와 한국으로 돌아가기 전 마지막 선물을 선사해야겠다. 그동안 경주마처럼 달려왔던 안쓰러운 내 인생의 마지막 노고를 자축하기 위해 미국 남부 플로리다주 마이애미로 냉큼 날아온다. 어느덧 마이애미 호텔 로비에서 체크인을 위해 대기 중에 카운터에 비치된 '키웨스트' 안내 책자가 운명처럼 내 눈에 들어온다. '헤밍웨이가 살았던 섬, 미국의 시작점'이라는 짧고 담백한 문구가 이유 없이 내 마음을 자극한다. 나는 아무런 망설임 없이 다음 날 아침 이른 새벽 그곳으로 향한다. 이 여정에는 별다른 기대와 거대한 목표 따위 없이 그저 가벼운 마음으로 베이프론트에서 미국 최남단 섬인 키웨스트(Keywest)를 향하는 버스에 몸을 오른다.

    드디어 여행의 시작. 연주 후에 혼자서 여행하는 것은 늘 있는 일이었지만 오늘은 유난히 더 홀가분하고 가볍다. 그동안 일은 물론이고 여행 또한 철저한 준비로 계획하고 병적인 완벽주의로 살아왔다. 그러나 왜인지 모르게 이번에는 처음으로 별다른 정보 없이 이 여행을 시작한다는 내가 새롭다. 이렇게 여행의 스케줄표와 변수에 대비하는 '1,2,3'번의 계획을 세우지 않고도 불안해하지 않는 내가 매우 낯설고 생소하다. 그동안 강박적으로 살았던걸까? 이런들 어떠하리, 저런들 어떠하리. 머리를 가득 지배하고 조종했던 수없이 많은 생각 중에 어느 것 하나도 이제는 나에게 영향을 주지 못한다. 어떠한 것에도 아랑곳하지 않고 나는 자신감과 충만함이 가득하다. 그리고 대륙의 끝에서 섬으로 시작된 버스 여행은 어느덧 산호초가 가득한 에메랄드 빛 대서양과 멕시코만의 섬들을 따라 오버 시즈 하이웨이 (Overseas highway)를 달린다.

세상에서 가장 아름다운 하이웨이로 불리는 이 도로 위에 떠 있는 동안 그 수평선에 매혹된다. 세이렌의 노랫소리에 홀려 황홀경에 빠져 머릿속은 하얗게 되었고 4시간 동안 바다를 보고 있다는 사실 조차 인지 하지 못하고 있다. 그러다 어느덧 키웨스트 정류장에 도착했을 때야 비로소 바다에 혼을 빼앗겼있다는 사실을 깨닫게 된다.

버스에서 내린 후 대충 지도를 한번 훑어본다. 작은 섬으로 갈래 길 없이 한 바퀴 돌면 원점이다. 목적지 없이 그저 발이 가는 대로 내 몸을 맡겨 보기로 한다. 2차선 도로랄 것도 없이 매우 한적한 길들을 따라 시간적 공간적 제약도 없이 마냥 걷는다. 허덕이지 않고, 구글 맵을 켜지 않고, 어떠한 교통수단도 탑승하지 않은 채 이렇게 정처 없이 자유롭게 걷는 것이 얼마 만인가. 아니, 태어나서 처음인 것 같다. 아무 생각하지 않고 머리가 가벼운 것도 처음인듯하다. 서울의 복잡함과 소음공해와 미세먼지는 내 육체를 긴장하게 만든다. 24시간 러시아워, 분노를 유발하는 이기적인 난폭 운전자들, 거리와 공간을 가득 메운 인파와 타인을 밀치고 당당하게 지나가는 거리의 행인들, 그리고 빼곡하게 쌓여 납작하게 일과의 시작과 끝을 보내는 지하철 직장인들…. 이에 내 몸은 만성 질병으로 항거했다. 이유 있는 반항이었다. 지금, 이 순간 이곳은 도로를 걷는다고 화를 내며 크락션을 누르는 사람도, 나를 검문하는 경찰도 없다. 가슴골이 다 보이는 홀터넥에 하이힐을 신고 있다고 훈계하거나 휘파람을 불며 간섭하는 행인도 없다. 내 지갑에 눈독들이는 사기꾼이나 전화벨 소리 하나 존재하지 않는다. 내가 평생을 살아온 그곳은 어디인가. 같은 시간, 같은 지구에 존재하고 있는 것이 맞을까? 그곳이 꿈일까 이곳이 꿈일까. 괴상한 인터스텔라를 몸소 만끽한다. 외딴섬의 초행길이지만 길을 잃을 염려도 없으니 더욱 마음 편히 이곳저곳을 천진난만하게 돌아다닌다. 공원, 크고 작은 미술관과 전시장들, 가게들을 구경하며 실컷 노니다가 공식적인 첫 목적지를 위대한 미국의 시작점인 곳으로 잡는다. 그리고 사람들에게 물어물어 이정표에는 없는 그곳을 마침내 발견한다.

'0마일'

[0마일]

세상과 세기를 휘어잡는 거대한 거인인 미국의 국도가 처음 시작되는 곳.

세계의 중심이며 쥐락펴락하는 강대국 미국의 실크로드가 시작되는 그곳.

이곳을 발견하자마자 초롱초롱했던 나의 눈은 금새 의심과 실망의 눈빛으로 변한다. 그 '위대한' 곳을 마주했는데 내 머릿속은 물음표로 가득찬다. 그 '대단한' 곳의 시작은 너무나도 허름했다. 너무나도 초라했다. 최초의 마일을 알리는 표지판은 나의 어린 시절 외할머니가 담배꾸러미를 팔던 강원도 깊은 산골의 구멍가게보다도 형편없고 눈에 띄지 않는 한 가게 위에 소박하게 걸려있다. 심지어 지나치지 않고 이것을 발견한 것이 신기할 정도다. 너무나 하찮다. 나의 무의식은 대체 뭘 기대했던 걸까? 이 '그레이트 아메리카' 육지의 시작점은 적어도 다이아몬드라도 박혀있어야 했던 걸까? 아니면 저 위대한 개츠비가 이룬 으리으리한 저택과 대형 정원이 베르사유 궁전처럼 섬을 가득 메웠어야 했을까? 실리콘밸리의 실크로드와 빌게이츠의 형상이라도 있을 것이라고 나는 생각했던 걸까? 아무런 이유 없이 나 혼자만의 망상에 빠졌다가 스스로 실망하는 내가 매우 우습다. 세상 모든 일을 내 멋대로 생각하고, 내 잣대로 평가하고, 내 기분대로 종결시키는구나. 내 귀중한 여행 시간을 위해 불필요한 생각들을 버리고 즐거운 생각만하자. 애써 마음을 다잡는다. 마음을 먹으니 단순한 갈대와 같은 나의 마음은 이내 관점의 변화를 일으킨다. 간판의 그 소박함이 왠지 모르게 오히려 마음에 들고 마음을 편안하게 해주기 시작했다. 그리고 이내 그 특별한 숫자에 집중해본다.

"0"이란 무엇일까.

최초, 시작, 우주의 탄생, 아무것도 없는 상태, 공허, 진공, 1보다 크고 1보다 작은 정수, …. 수없이 많은 숫자들과 나란히 할 수 없는 특별함을 지닌 것에는 틀림없다. 그 독특함의 근원은 무엇일까? 나의 'ZERO'로 시간을 되돌려 본다. 나의 탄생과 최초에는 어머니가 있었다. 그녀는 양 머리를 곱게 땋아 내리고, 떨어지는 붉게 물든 낙엽이 가득한 학교 정원 벤치에 앉아 톨스토이를 즐겨 읽으며 눈물을 흘리던 소녀였다. 피아노를 좋아해서 음악 선생님의 심부름을 해주며 음악을 배우며 잘생긴 총각 선생님을 남몰래 짝사랑하던 교복 입은 그녀는 그 시대 대다수 여성들이 그랬듯 변변한 연애 한번 못해보고, 아무것도 모르는 채로 갑자기 '시집살이'라는 새로운 세상에 떨어졌다. 이곳, '시집'이라는 새로운 행성에서 그녀는 시행착오를 겪고 고군분투하며 또 다른 삶을 살아왔다. 그녀의 삶을 지탱했을 '나'라는 존재가 태어났던 날 마저도 순탄치 않았다. 나를 낳았을 때, 폐렴이 심했던 그녀는 심전도 기계 그래프가 일자로 지속되어 심장이 멈춘 소리를 울렸지만, 살았는지 죽었는지 모르는 그 순간 자신도 모르게 신에게 생애 첫 기도가 나왔다. '나와 이 아이를 살려주시면 이 아이를 신을 찬양하는 아이로 키우겠다'고. 그렇게 나는 기적적으로 세상에 나왔다. 어머니의 목에 탯줄을 감은 채로. 그리고 그 아이는 태초의 그 사건과 기도를 알았다는 듯이 신기하게도 옹알이하기 전부터 노래하는 것을 좋아했다. 이후 부모님의 반대 속에서도 그 아이는 자신의 의지만으로 음악가의 길을 스스로 선택한다. 나의 어머니는 한번도 나에게 음악을 하라 말하지 않았고, 오히려 그 길을 반대 했지만 그녀 또한 자신과 신의 약속을 언제나 잊지 않고 있었다. 그리고 그 아이의 결정에 마음속으로 기쁨과 불안을 동시에 외쳤다. '태초'. 그 단어는 신기하게도 나의 마음을 점차 안정시켜 주었다. 나는 그동안 속을 알 수 없는 일본 여인처럼 분장을 하고 평온한 얼굴을 하고 살았지만, 마음속은 늘 안절부절못했다. 그리고 이제 깨닫는다. 황량한 사막에 홀로 떨어져 오아시스를 찾아 끊임없이 걸어왔기에 내 인생은 늘 외롭다고 생각했지만 내 뒤에는 언제나 어머니가 있었다. 나는 혼자인 적이 없었다. 그리고 나 혼자서 지금의 나를 만들어 낸 것도 아니었다. 상황은 변하지 않고 그대로인데 내 마음의 여유가 생긴 지금에서야 그것이 보인다.

아무 일도 일어나지 않았는데 한결 마음이 가벼워졌다. 다시 가던 방향으로 발걸음을 옮긴다. 울퉁불퉁 정비되지 않은 길들. 일상에서는 하이힐 굽이 껴서 구두를 망가트리고, 중심이 잡히지 않아 화가 났던 제멋대로인 이 돌로 가득한 길들이 오늘은 이상하게 마음에 든다. 이리저리 걷다가 신발을 벗어서 손에 쥐고 맨발로 바닥에 살과 맞대어 본다. 아직도 매끄럽게 다듬어지지 않았지만 사람들의 발걸음에 짓눌려 나름 둥글둥글해진 돌맹이들이 모여서 길이 되었다. 그 돌들의 모서리가 발바닥 곳곳에 닿을 때 전율이 내 온몸으로 퍼진다. 기분이 좋아 콧노래를 부르며 라라랜드의 주인공이 되어 거리를 활보한다. 나를 이상하게 보는 사람도 없고, 누군가와 눈이 마주쳐도 그들은 나에게 아무런 관심이 없다. 아! 나는 숨 쉬고 있다. 아직 정오라 태양은 뜨겁지만 깊은 대서양의 바닷바람이 옷 사이로 온몸을 슬며시 파고들어 더위를 느낄 새 없다. 딱 적당히 기분 좋은 날씨다. 모든 것이 완벽하다. 길가를 따라 쿠바에 온 것 같은 핑크색, 하늘색, 연보라색 등의 파스텔과 깨끗한 화이트 색감을 지닌 집들이 즐비하다. 그 집들은 누구라도 들어오라는 듯 아무런 경계와 정원 울타리 없이 활짝 열려있다. 고요하고 평화롭다. 타인의 시선에서 자유롭게 나다움으로 있는 이곳은 그야말로 내가 원하던 천국이다. 그렇게 한참 시간을 만끽하다 보니 어느덧 이제는 박물관으로 남아있는 '어니스트 헤밍웨이의 집(The Hemingway home and museum)'에 멈춰선다.

[어니스트 헤밍웨이의 집]

집을 들어서자마자 가장 먼저 나를 반긴 것은 헤밍웨이의 분신 같은 반려 고양이들이다. 다지증의 6개의 발가락을 가진 고양이들은 내 한 걸음 한 걸음을 놓치지 않고 쫓아다닌다. 마치 집 주인 행세를 하는 마냥 그들은 도도하게 부엌 도마 위에 앉아서, 집주인 부부의 침대 중앙에 누워서, 정원 곳곳을 어슬렁거리다 하품하며 늘어져 있다. 어떤 앙칼지게 눈을 부릅뜬 집사들은 서재 중앙에서 방문자의 일거수일투족을 주시하며 어느 곳 하나 빠짐없이 집안을 감시하고 있다. 헤밍웨이는 왜 반려묘들을 끔찍이 아꼈을까? 내가 고양이를 좋아하기에 그도 나와 같은 마음인지 새삼 궁금해진다. 살아생전에 세상의 부와 유명세를 가졌고, 수없이 다양한 일을 경험하고, 주위에 늘 사람이 가득했던 헤밍웨이는 마음의 평화를 찾지는 못했고 끊임없이 인생과 싸웠다. 그러나 고양이만은 언제나 그의 편이었을 것이다. 사람을 믿지 않는 나처럼 그도 같은 마음 아니었을까. 가장 가까운 가족조차도 믿지 않는 나. 인류애를 잃어버린 내 마음을 유일하게 무장해제 시키는 신이 주신 생명체 고양이. 이것의 상관관계에 대한 연결고리를 찾아본다. 아무런 조건과 계산 없이 나 이외의 다른 존재를 믿을 수 있다는 것은 큰 축복이다. 나의 그런 생각의 근원에는 가족이 있다. 아버지는 전형적인 유교 사상을 가진 경상도 집안의 7남매 중 장남이다. 6.25 전쟁에서 손가락 하나를 잃고 국가유공자가 되신 후, 통영 앞바다에서 멸치잡이를 하시던 할아버지는 백구두와 중절모에 화이트 수

트를 입고, 시내에 나가 춤추기를 즐기시며 김영삼 대통령 정치 운동에 모든 열성을 쏟아부었다고 한다. 배를 곯던 7남매 형제자매들의 생활고는 할머니가 머리에 떡을 이고, 논밭을 갈고, 아궁이에 불을 지피어 근근이 해결했다. 장남인 아버지는 중학생이 된 어느 날 갑자기 버스비만 들고 서울로 상경한다. 개발도상국에서 사내가 할 수 있는 모든 일을 다 하고 성장하여 홀로 대가족을 일으킨 그는 이제 노쇠하였다. 하지만 여전히 마음은 중학생으로 남아 마음속에 한이 가득 차 있다. 육체를 모두 소진해버려 이제는 거동이 힘들고, 숨쉬기 조차 힘들지만 아직도 집안을 일으켜야 한다는 목표만이 그의 머릿속에 가득하다. 그는 아직 이루지 못한 계획들이 많아 호흡기를 차고 앉아있는 이 시간이 너무나 아깝다. 나와 내 동생에게 온전히 내 것인 아버지는 없었다. 아니, 나에겐 아버지가 없었다. 당연히 내 것이어야 하는 모든 것은 할아버지와 할머니, 그리고 6남매 형제자매들과 나눠 가져야 했다. 물질이든 사랑이든. 그렇게 자식들의 원망을 받으며 본인을 희생한 아버지의 가족들은 그것을 당연하게 여겼다. 치사랑을 거꾸로 받는 할아버지와 할머니는 평생을 자랑스럽고 똑똑한 맏아들에게 의지했고, 동생들은 부모로부터 받을 내리사랑을 맏형에게 받으며 그것을 당연하게 생각했다. 내 부모의 희생을 보고 느끼고 자라난 나에게 인간은 자신만 생각하는 이기적인 존재이며, 호의가 계속되면 권리인 줄 아는 존재로 애초에 점찍어졌다. 관계의 가장 기초적인 '가족'이라는 집단이 나에게는 나를 위협하는 불안한 장치였다. 나를 온전히 지킬 수 있는 것은 나 자신밖에 없었다. 게걸스럽게 깔깔대는 대가족의 저녁 식사를 피해 내 집 앞 공원에 혼자 놀고 있던 어린 시절의 나를 간택하여 따라와 늘 내 옆을 지켜주던 고양이라는 존재는 내 모든 것을 유일하게 보일 수 있는 존재였다. 그리고 우리는 다시 만났다. 발가락 6개를 가진 변종 '고양이', 괴짜 '헤밍웨이', 세상에 편협한 시각을 가진 '나'는 서로 마음을 터놓는다. 이곳, 우리만의 세상에서는 마음껏 아가미를 들어내어 숨 쉴 수 있다.

한참을 생각을 잠기며 정원을 둘러보다 보니 수영장에 도착한다. 풀장 안으로 가득 찬 물에 따사로운 빛이 스며들어 은갈치처럼 바람에 일렁이며 눈이 부신다. '글을 쓰고 난 헤밍웨이는 따뜻한 햇살 아래 고양이들과 와이프와 함께 이 수영장에서 맥주 한 잔에 해수욕을 즐기며 여생을 즐겼겠지?' 너무나도 낭만적일 상상을 저편으로 날려버리는 안내원의 설명이 귀에 들려온다. "헤밍웨이는 이 수영장의 빚을 갚기 위해 오래도록 쪼들렸어요."

재미있는 이 스토리를 알아내기 위해 수영장 주위를 돌다 바닥에 박제된 그의 '1페니' 동전을 발견한다. 헤밍웨이의 아내는 그가 집을 비운 틈을 타 몰래 복싱장이었던 이곳을 수영장으로 바꿔버린다. 돌아온 헤밍웨이는 당시 8천 달러였던 집값의 두 배나 되는 2만 달러를 들여 거행한 이 대공사에 한탄을 하지만 이미 엎질러진 물이었다. 그는 아내에게 주머니에 있던 1센트를 던지며 '이것마저 다 빼앗아가지 그래!' 라며 화를 내었고, 그 동전은 굳지 않은 콘크리트에 박혀 지금까지 그의 괴로움을 발산하고 있다. 그가 오나시스 같은 자본가였어도 이 스토리가 탄생했을까? 헤밍웨이도 당시에 유명세를 가지고 있었으나 삶이 엄청나게 여유 있진 않았나보다. 예술가에게 자본이란 무엇일까. 예술인이기에 인간의 자립과 독립이라는 기본적인 가치가 실행되기 어렵다는 점은 늘 나를 괴리감에 빠지게 한다. 예술을 한다는 것은 투자금이 많이 들고, 투자 대비 회수율는 보증할 수 없는 도박과 같다. 그렇다면 그 자본은 어디에서 충족하는가. 늘 가족이나 자본가, 권력가 등 타인에게 후원을 받아 연명하는 것이 이치이다. 그 위대한 르네상스의 레오나르도 다빈치는 메디치가의 후원을 받았고, 궁정의 후원을 받은 모차르트가 그랬고, 교회 오르가니스트였던 바흐가 그랬다. 시작부터 타인이든 가족이든 다른 개체에 종속되어 빚을 지고 시작하여 기생하는 삶은 늘 내 자존심을 상하게 했다. 게다가 일을 선택함에 있어 금전적 거래가 우선순위인 것이 당연한 보편적 통념 또한 음악가에게는 해당 되지 않았다. 예술하는 사람이 입에 '물질'을 올린다는 것은 곧 돈을 밝히는 속물인 것 이다. 예술은 깨끗해야 하니까. 성스럽고 특별해야 하니까. 예술가의 의식주는 누구도 관심 없다. 배를 굶고 있어도 덕업일치를 이룬 예술가는 좋아하는 것을 하고 살고 있기에 늘 화려하고 즐거워야만 한다. 예술은 사회 환원적인 역할을 해야 하기에 재능기부를 타당하게 생각하기도 한다. 가장 화려하게 차려입고, 돔페리뇽에 티본스테이크를 써는 자본가들의 허세를 충족시키기 위해 무대에 서 있는 나는 부르주아도 프롤레타리아도 아닌 괴상한 위치의 광대였다. 어디에서나 정체성의 혼란을 가지는 홀로선 이상한 나라의 앨리스.

　　나는 대체 누구를 위하여 노래를 부르나!

수영장에서의 자본 타령은 관두라고 도도한 고양이들이 눈짓한다. 그들의 안내를 따라 헤밍웨이의 집으로 들어서자 입구부터 펼쳐진 그의 향기로 순식간에 그의 자취에 물씬 내 몸이 스며든다. 이곳은 또 다른 지구본이며 헤밍웨이 행성이다. 온 집안에 그가 살아 숨 쉬고 있다. 그는 살아남은 것이 신기할 정도로 수많은 사건 사고를 겪으며 죽음을 불살라왔다. 아프리카에서 탈장이 되고, 세 번의 교통사고로 생사를 오락가락 했으며, 보트 사고에 의한 뇌진탕으로 입원과 연달아 이어진 두 번의 비행기 사고로 사망 기사가 나는 등 죽음의 문턱을 셀 수 없이 드나들었다. 또한, 안락한 삶을 거부하고, 세상의 불의에 숨죽여 있지 않고 종군 기자를 자처해 스페인 내전과 세계 제1차대전에 참전하였다. 그럼에도 불구하고 본인의 삶과 경험이 녹은 작품을 재생산해 낼 수 있다는 것은 창작자와 아티스트 모두가 바라는 원대한 꿈이다. 더군다나 그런 작품들이 작가의 살아생전에 노벨문학상과 퓰리처상을 받고, 세상에서 인정을 받는다는 것 또한 최상의 축복이다. 비록 노벨문학상 수상 또한 등산을 하다가 만난 산불로 인한 전신화상으로 참석하지는 못했지만. 오히려 그런 평범하지 않고, 특이한 삶의 모습이 나에겐 더 비범하게 느껴진다. 누군가에겐 위험에 몸을 끊임없이 노출하는 것이 무모하다 할 수 있을 것이다. 하지만 나는 헤밍웨이 스타일인듯하다. 골방에 놓인 저 책상에 앉아만 있는 고귀한 예술가에게는 전혀 매력이 느껴지지 않는다. 물불을 가리지 않고 직접 행동으로 세상에 뛰어들고, 한시적 존재인 육체 따위에 몸을 사리지 않고 싸우는 그의 마초 같은 삶이 마음에 든다. 보면 볼수록, 알면 알수록 그가 진정으로 마음에 든다. 편안하게 자랄 수 있는 부유한 집안에서 자라고 유명세를 가졌으나 그런 조건들에 아랑곳하거나 타인의 시선과 정해진 사회적 틀에 관심조차 두지 않고, 자신의 안락한 삶에만 만족하지 않았던 그. 자신이 가진 모든 가시적인 것에는 관심이 없고, 사회상에 따른 세상의 모든 불합리와 인류애에 대해 끊임없이 고민하고, 실행하며, 자신의 작품으로 싸워나간 그는 내가 생각했던 진정한 예술가의 인생 그 자체였다. 결국 자살로 생을 마감한 그의 삶이 과연 기구한 삶의 소용돌이를 이겨낸 것인지, 패배한 것인지는 알 수 없으나 적어도 나에겐 자신의 이익만 추구하며 동화 속 이야기만 하는 그런 삶보다 훨씬 아름답다. 비록 패배할지라도. 이러한 인생의 흔적이 온 집안을 가득 메워 더욱 나에게 스며든다. 전 세계를 다니며 찍은 사건 사고의 그림과 기사들, 그 수많은 시간과 장소에서 함께하고 스쳐 지나간 사람들과의 사진들, 그리고 여행과 경험을 통해 솟아난 작품의 흔적들이 집안 곳곳을 가득히 메웠다. 무엇보다 그가 해외에서 수집한 골동품들은 타지의 향기를 물씬 흘리며 그의 자유롭고 열린 사고를 살결로 느끼게 해준다. 문득, 왜 그는 안정된 삶보다 위험에 일부러 본인 스스로를 노출했을까 생각해본다. 전쟁에 자발적으로 참전하고, 두 차례의 비행기 사고에도 쿠바와 사파리로, 카리브해로 항해를 떠나 인디애나 존스처럼 위험을 일부러 불사했던 그가 진정 견딜 수 없었던 것은 육체의 고통이 아니라 정신적 괴로움이었기 때문이었을까. 살아남기 위해, 끊임없이 호흡하기 위해 그는 평생을 방랑기와 무모함으로 삶을 살아나갔어야만 했던 것은 아닌가 유추해본다. 순간, 언제부턴가 입 벌리는 것조차, 어떤 소리조차 듣기 싫어졌던 나의 내면에는 무대가 나의 꿈이 아니라 일이 되어버렸기 때문임을 깨닫는다. 내가 살아오고 태어난 곳에서 벗어나 자유롭게 새로운 세상을 만났을 때 나는 그 어느 때보다 살아있음을 느꼈다. 그 길을 열어준 것이 음악이었다. 이렇게 보니 나의 과거는 헛되지 않았다. 헤밍웨이처럼 지구본을 떠돌아 다니며 공연하고 여행하면서 새로운 사람들을 만났던 경험들은 차곡차곡 쌓여 내 지구본을 완성 시켜 놓아져 있었다. 다양한 그 경험과 사건의 추억들이 마음속에 되살아난다. 러시아 블라디보스토크에 공연을 갔을때, 공연을 보러왔던 무표정의 수줍은 북한 군인의 만남은 그저 누구나 같은 인간일 뿐이라는 깨달음을 주었다. 중국 하얼빈 기차역에서 안중근 의사를 추모하고 오페라 '춘향전'을 공연할 때, 우리를 바라보는 재외동포들의 따뜻한 눈빛을 느꼈을 때, 내 개인의 고민은 보잘것없이 작은 것임을 느꼈었다. 모스크바에서 공연을 마치고 한국인에 대한 후원과 시간을 아끼지 않는 고려인들의 순수한 눈망울을 보았을 때, 나는 얼마나 계산적이고 이기적으로 세상을 살아왔는가를 느꼈었다. 내 무대를 보는 동안 그 모습을 습작하여 수줍게 나에게 그림을 건네던 푸른 눈의 소녀와 함께 눈을 밟으며 보드카 한잔에 집시처럼 춤을 추었을 때, 인생은 아름답다는 것을 이미 느끼고 있었다. 한민족의 분단이 강대국들에 의해 결정 났던 크림반도의 리바디야 궁전에서 '그리운 금강산'을 불렀을 때, 공연이 끝나자 달려와 진심 어린 인터뷰를 하며 눈물을 흘리던 타타르 아나운서와 카메라맨의 이야기는 우리네와 다르지 않았다. 자치국

을 원했으나 러시아라는 강대국에 의해 억압당하고, 푸틴 정권과 이
길 수 없는 전쟁을 하고 있는 그들의 한을 느꼈을 때, 나의 음악은 세
상으로 나와 빛을 발하고 있음을 느꼈었다. 그동안 일로만 생각해 나
를 옥죄고 있었던 내 일이, 내 노래가 그동안 나를 살아 숨 쉬게 하고
있었다. 그토록 거부하던 세상과의 소통과 관계 속에서 영롱한 빛을
내면서 노래는 나를 지탱해주고 있었구나. 그렇게 내 지구본을 만들
어 주었구나.

　이제 그의 작품들이 탄생했던 독채 집필실 계단으로 발걸음을 옮
긴다. 아늑한 서재를 가득 메운 책장들 양옆으로 커다란 창문을 통해
따사로운 햇살이 안을 비춘다. 정중앙 벽에 걸려있는 두 뿔이 달린 사
슴은 긴 귀를 쫑긋 세우고 마치 우리를 평가하듯 '반지의 제왕'의 간달
프처럼 위엄과 인자함을 동시에 갖춘 표정과 눈빛으로 우리를 주시하
고 있다. 양옆 쇼파와 의자들 사이로 중앙에 자리잡은 원형 목재 탁자
가 주인공처럼 놓여있다. 그 위에 엎어진 타자기로 신의 빛이 비추듯
창문의 햇살이 비추고 있다. 아침 6시에 매일 이곳으로 나와 정오까지
글을 쓰던 그의 형상이 스모그 같은 안개 낀 햇빛으로 그 타자기 옆에
나타나 타자를 두들기기 시작한다. 무모함과 도전으로 삶을 살았고,
하루하루가 고주망태 되어 귀가했으나 그가 글을 대하는 태도만은 성
직자이자 숫처녀 같았다. 규칙적으로 정해진 시간과 장소에서 글을
쓰며 끊임없이 원고를 수정하고, 고민하며 조심스러웠다. 그가 세상
에서 유일하게 두려운 존재는 글이었을까. 글의 어떤 점이 그를 이토
록 길들였을까. 저 낡은 타자기와 이곳에서 탄생시켰을 '가진자와 못

가진자(To Have and Have Not)'의 주인공인 해리 모건은 미국 대공황 시기에 생존을 위해 필사적으로 노력한다. 하지만 운명의 수레바퀴는 그를 살인과 죽음으로까지 내몬다. 그런 쿠바의 해리와 미국 대공황과 제1차대전과 스페인 남북전쟁으로 기염을 토해낸 헤밍웨이, 그리고 '나'는 같은 고민으로 삶을 반복한다. 아무리 노력해도 인생의 굴레에서 빠져나올 수 없는 삶. 나는 개구리 소년들과 동년배로 태어나 끊임없이 그 뉴스를 보고 자라났다. 성수대교와 삼풍 백화점 붕괴 사고로 친구들과 그들의 가족들의 죽음과 남은 삶을 목격하고, 책상에 국화를 얹어주었다. IMF 외환 경제 위기를 뚫고 살아 내온 대가족 속의 일원이었으며, 세월호 사건으로 제자를 잃었다. 그렇게 자라나 코로나 시국을 거쳐 이제는 저출산 고령화를 주도하는 선두 주자가 되었다. 언제인지 모르는 순간부터 스며들어있는 고통이 나를 힘들게 한다는 사실을 알아차렸을 때부터 나는 반항하기 시작했다. 자유의지 없이 태어나 아무것도 모르고 세상에 순응하며 자유의지 없이 선택된 가족이라는 거대한 수성에서 백조처럼 발버둥 치며 10대를 자라났고, 클래식 세계와 카르텔이라는 거대한 왕국에서 살아남기 위해 얼굴에 가면을 쓰고 마타하리가 되었다가, 강단과 국회의사당에서 마이크와 초를 잡고 세상에 레미제라블을 불러대었고, 아프리카와 동남아 오지에 우물을 짓고, 극빈층 할머니의 욕창을 씻기며 연탄을 나르며 이타적으로 살아왔다. 하지만 이 세상은 아무것도 변하지 않았다. 스스로를 특별한 인물 임에 의심이 없었던 나는 이 불합리한 세상을 바꾸겠다며 원대한 꿈을 꾸는 나폴레옹이었다. 그러나 그것은 모두 나의 교만이었다. 태어난 순간부터 전쟁과 역병과 죽음에 노출되어 그 어떤 자극에도 무뎠던 내 영혼은 그저 하루살이 같이 간당간당한 목숨을 갈구하는 먼지의 일부였을 뿐이다. 역사와 세상은 변하지 않고 늘 반복되는 것이니까. 아픔들을 이겨냈기에 강해졌다 생각한 나의 정신은 한순간에 와르르 무너졌다. 나는 유리처럼 한없이 아슬아슬한 존재였고, 그동안 나는 나 자신을 돌보지 않고 애써 부정하고 무시하며 폭력을 행사해왔을 뿐이다. 나는 이내 '부정, 분노, 타협, 우울' 이별의 4단계를 거쳐서 마지막 '수용'을 지나고 있었다. 타이타닉호의 침몰을 피하지 않고 마지막을 받아들인 현악 4중주 연주자들처럼 이제는 담담히 벗어나고 싶다. 추하지 않게. 내가 내 힘으로 유일하게 좌지우지할 수 있는 내 '가오'만은 부릴 수 있는 행운이 주어지기를. 이제는 제발 이별하자! 끊어낼 수 없는 지옥 같은 지긋지긋한 이 인생이여!

[슬러피 조스 바]

　한껏 내면의 기염을 토해낸 후 집 밖으로 나선다. 처음처럼 여전히
이 길은 평화롭고 아름답다. 내 마음만 혼자서 오락가락하고 있다. 자
유롭게 활보하는 닭들 사이로 어느덧 핫플레이스로 블로그에 찍혀있
던 낯익은 표지판이 보인다. '슬러피 조스 바(Sloopy Joe's Bar)'. 가
게로 들어서자 천장에는 알록달록한 전 세계 국기가 걸려있고, 가게
정면에 큰 무대를 중심으로 원목 테이블들이 놓여져 있다. 이미 인파
가 자리를 가득 메웠다. 벽에는 낚시를 좋아했던 헤밍웨이의 사진과
초상화들, 그리고 낚시를 좋아해 그가 잡았던 〈노인과 바다〉의 대형
청새치 모형이 걸려있어 시선을 집중시킨다. 그는 늘 오후에 이곳에
들러 만취해서 집 옆에 있는 등대의 불빛을 보고 무사 귀환했다고 전
해진다. 그의 삶을 함께한 이 전설의 술집에 들어오니 이제는 그와 시
대를 초월하고 연결고리가 생긴 것 같은 기시감이 든다. 이윽고 친절
한 바텐더들과 통키타 가수의 컨트리 음악이 울려 퍼지고, 나의 기분
은 달아올라 여왕이 부럽지 않다. 흥겨운 마음에 퀘사디아와 상큼한
라임향 가득한 소스에 헤밍웨이 모히토와 피나콜라타, 슬리피로리타,
마르가리타를 음미하니 예기치 않게 나에게 주어진 이 시간은 우연일
리가 없다는 확신이 든다. 분명 헤밍웨이가 나의 방문을 축하하기 위
해 미리 로맨틱한 시간을 계획하고 나에게 선사했으리라. 시공을 초
월한 특별한 우리의 인연에 나는 그에게 연민이 느껴지기 시작한다.
건장한 외모와 거칠고 모험적으로 살았던 마초의 모습 뒤로 우울증과

알콜중독증으로 불안한 내면을 지녔던 그는 나처럼 매일 이곳에 발을 들이는 순간 그 불안함을 내려놓지 않았을까? 나 또한 그동안의 모든 슬픔과 힘들었던 기억을 모두 잊고 약간의 취기에 젖어 새로 태어난다. 빽빽하게 칠해진 검은 도화지였던 내 머릿속은 지우개로 지워져 순결한 백지장이 되었고, 이제 내 마음에는 오직 행복함과 음표만이 가득하다. 힐링의 순간이 최고조를 향해갈 때쯤 하필이면 "What a wonderful world" 곡조가 흘러나온다. 루이 암스트롱이 살아생전에 빛을 보진 못했지만 사후에 많은 사랑을 받으며 그래미 명예의 전당에 헌정되었던 그 곡이다. 로빈 윌리엄스에 의해 전쟁통에 해맑게 울려 퍼진 영화 '굿모닝 베트남(Good Morning Vietnam)'에서처럼 이 곡은 눈물과 쾌활함을 동시에 선사할 만큼 천국과 같이 편안한 곡조와 가사를 지니고 있다.

'초록의 푸른 나무와 붉게 물든 장미,

푸른 하늘과 구름,

아름다운 하늘의 무지개와 사랑이 깃든 사람들의 인사와 아이들의 울음소리,

그리고 그들이 자라는 것을 볼 때.

이 얼마나 아름다운 세상인가!'

음악을 머리로 듣던 습관을 벗어던지고 멜로디에 몸을 맡기니 일로만 생각되던 음악과 가사가 처음으로 나의 가슴 속에 박힌다. 그저

사소하고 당연한 것들의 아름다움과 행복을 난 그동안 보지 못하고 있었던 것이다. 끝이 없고, 손에 쥘 수 없는 허무맹랑한 것들에 나의 열정과 영혼을 불태웠다는 생각에 그동안의 욕심과 추억들이 주마등처럼 스쳐 지나간다. '그래, 이 세상이 잘못된 것이 아니라 인생이 그런 것이지. 이 얼마나 아름다운 세상인가!' 이렇게 단번에 사라져버릴 사소한 눈물에 나는 25년이라는 세월을 그동안 왜 그렇게 스스로 심장에 비수를 꽂으며 채찍질하며 살아왔을까. 그저 모히토 한 잔과 음악 한 소절이면 되었는데!

　헤밍웨이처럼 질펀하게 마신 후, 태어나서 처음으로 노래를 흥얼거리며 마지막 목적지로 향한다. 산들바람과 바다 향 내음이 나의 발걸음을 한결 가볍게 이끌어 하얀 교회와 빨갛게 물든 나무들을 지나친다. 앞으로 곧게 뻗어난 길 끝으로 서서히 섬의 끝 수평선이 보이기 시작하니 천국의 구름 위로 걸어 올라가는 듯하다. 자갈부터 캐고 손질하고 나서야만 한 발자국씩 디딜 수 있었던 길이라는 존재는 이제는 아무 노력 없이도 손쉽게 내 발을 인도하여 점점 뚜렷해지는 정확한 목적지로 나를 데려간다. 지금은 자유롭고 편안하게 힘을 들이지 않고도 나의 별에 닿을 수 있다. 잠시 후, 망망대해가 펼쳐진 수평선만을 앞에 두고 길이 끝난다. 이 섬의 마지막 지점에 도착한다. 끝없이 펼쳐진 저곳 너머로 신기루처럼 쿠바가 보이는 것 같다. 세이렌의 노랫소리가 바람을 타고 내 청각과 촉각을 간지럽힌다.

　서던 포인트. 진정 미국 영토의 끝.

[미국 최남단 서던 포인트]

나와 생일을 같이하는 미국 키웨스트 최남단 기념비(Southern-most point continental U.S.A) 너머로 무한한 대서양과 멕시코만이 펼쳐져 있다. 90마일 떨어진 쿠바로부터 배를 타고 이 섬에 도착했을 헤밍웨이의 형상이 안개처럼 다가온다. 청새치를 배에 한가득 담고서 입가에 웃음을 잔뜩 머금은 그는 의기양양하게 나를 향해 손을 흔든다. 나는 그의 손짓에 응답한다. '드디어 온전한 당신의 청새치를 잡았군요. 헤밍웨이!'.

'이 세상은 모든 사람을 부러트리지만
많은 사람은 그 부러진 곳에서
더욱 강해진다.'
- 〈무기여 잘있거라〉, 어니스트 헤밍웨이

장대한 꿈과 원대한 목표, 변혁은 다 나의 부질없는 욕심이 만들어 낸 환상이었다.

어떠한 시작도 거대한 것은 없었다. 애초에 거대하고 대단한 것이란 것 또한 존재하지 않았다. 그냥 각각의 개체는 있는 그대로, 그 존재 자체만으로 거대하고 위대하고 사랑스러운 것이다. 그 모든 고통과 원통함과 나를 괴롭힌 상처들과 육체의 고통은 타인과 세상이 나에게 준 것이 아니라 모두 내 내면의 문제였음을 이제는 알겠다. 분노와 원망을 가진 어른 금쪽이.

바다에 나의 모든 것이 날아간다. 비워진다. 흩어진다.

내 삶의 이유가 무엇이었는가? 내가 노래하는 목적이 무엇이었는가?

내가 원했던 것은 자유롭게 내 목소리를 내는 모킹제이였지 앵무새가 아니었다. 그렇다면 나를 인형처럼 만든 것은 무엇이었을까? 무엇이 나를 그렇게 작은 것들에 목숨 걸고 살게 했을까? 누구나 다 자기 환경과 역할에서 최선을 다해 살고 있을 뿐이었다. 나 자신을 지키기 위해, 살아남기 위해 끊임없이 고군분투하던 아버지도, 그럼에도 불구하고 자식들까지 지켜냈던 어머니도, 나를 속박한다고 생각했지만 사실은 나를 친구로 받아들여 준 펜트하우스의 그 많은 사람들도 그저 자신의 삶을 살아내기에도 벅찬 가여운 사람들일 뿐이었다. 자유를 누구보다 갈망하면서 남의 티끌만 보고 있는 것은 정작 나였다. 그 손길들을 보지 못하고 내 마음속의 아픔들로 세상을 색안경으로 바라보았다. 다름에서 비롯된 오해로 스스로를 가두었다. 이유없는 비난에도 그들은 오히려 나의 가시 돋친 편견과 원망에 아랑곳하지 않고, 안아주고, 나를 사랑해 주었다. 나의 비수 같은 비난에도 변함없이 꾸준한 애정을 주며 기다려주고 있다. 모든 것은 내 마음의 문제였다. 나에게 상처를 준 것은 세상도 아니고, 사람도 아니고, 일도 아니고, 음악도 아니고 그저 나 자신이었다. 세상 앞에 기죽지 않기 위해 사자탈을 써왔던 토끼는 이제 탈을 바다를 향해 벗어 던진다. 헤밍

웨이는 권총으로 자신의 육체를 마무리했지만, 나는 이 바다에 나의
지난 영혼을 날려버린다.

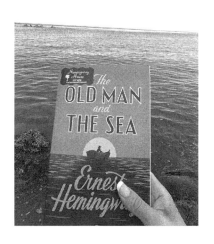

거침없이 살아오면서 퇴색되고 바래버려 중심을 잃고 그저 쳇바
퀴 돌 듯 경주마처럼 달려왔던 나는 잃은 것도 많았지만 얻은 것도 많
았음을 깨닫는다. 더없이 드넓은 바다를 향해 겁도 없이 나이 든 노인
이 작은 배에 몸을 맡겨 청새치를 잡고자 치열하게 혼자만의 결투를
지내왔던 것처럼. 고군분투 끝에 청새치를 잡았지만 결국 상어에게
빼앗기고, 앙상한 뼈만 들고 집에 들어왔지만 '많이 얻었지만 많이 잃
었노라'라고 말했던 것처럼. 내가 바라봐야 하는 것은 결과가 아니라
과정임을. 그 치열함 자체가 나를 살아 숨 쉬게 하는 원동력임을. 이제
는 깨닫는다.

그렇게 수평선으로 지는 노을을 뒤로한 채, 나는 어둠 속에서 희미하고도 선명하게 나를 향해 비추고 있는 굳건한 등대의 불빛을 따라 나의 집으로 향한다.

내일부터 새롭게 떠오를 나의 찬란한 태양을 기대하며.

HI GIRL YOU ARE FABULOUS

김 현

김 현   막연히 꿈꿨던 시점에 정말 미국에 와있고 뉴욕을 다녀왔다. 모르는 새
에 우연히라도 원했던 것들을 놓치지 않고 하나씩 하나씩 이루며 살아
가고 있다. 앞으로는 혼자 하는 여행보다 함께하는 여행을 조금 더 좋아
하게 될 것 같다. 여전히 내가 쓴 글을 지인에게 보여주는 건 부끄럽다.

인스타그램: @gim.hyun_____
이메일: k.hyun1814@gmail.com

나는 지금 Empire State of Mind

　머리 위로 정신없이 높게 솟아 있는 빌딩들과 화려한 전광판, 끊이지 않는 자동차 경적 소리와 마치 비디오 빨리 감기를 한 것처럼 빠르게 지나가는 다채로운 사람들. 툭 하고 웃음이 나왔다.

　"뉴욕이다. 뉴욕."

　빨간색 〈LIFE〉 잡지사의 로고가 박힌 21인치 캐리어를 들고 끙끙대며 지하철역에서 올라와 지상에 처음 발을 내디딘 곳에 멈춰서서 한참을 웃었다. 너무나도 익숙한 풍경인데 실제로는 처음 마주하는 이 장면들에 신기한 건지 설레는 건지 모를 두근거리는 떨림을 느끼며 정신없이 두리번거렸다. 그때 내 앞을 지나가던 검정 가죽 재킷에 금색 체인 목걸이를 한 키 큰 중년의 신사분이 나와 눈이 마주쳤는데, 나를 향해 환하게 지어주는 미소가 마치 인사를 건네는 느낌이었다. *Welcome to New York.*

　숙소에 도착하니 오후 4시가 조금 안 된 시간이었다. 나는 해 질 무렵 주황빛 노을이 비추는 드넓은 센트럴 파크가 가장 먼저 보고 싶었다. 다행히 숙소가 타임스퀘어 근처라 센트럴 파크까지 걸어갈 수가 있었고, 가는 길에 구글 맵에 베이글 가게를 검색해서 평점이 4.8인 근처 베이글 가게에 들러 크림치즈를 바른 훈제 연어 에브리띵 베이글과 아메리카노 한 잔을 포장했다. 베이글과 아메리카노를 손에 들고서 센트럴 파크로 향하면서 뉴욕에서의 첫날 첫 끼인 만큼 '여행객으로서 지켜야 할 도리' 같은 것이라며 뻔해도 어쩔 수 없다고 혼잣말을 했다.

　마치 '자유로운 쉼'을 형상화한 느낌이었다. 해 질 녘의 주황빛 노을은 편안하게 눈부셨고, 나는 행복했다. 각종 영화와 포스터, 유튜브 플레이리스트 커버 사진의 생생한 실체가 내 눈앞에 있었다. 다들 언덕 위에, 잔디밭 위에 마음대로 앉고 자유롭게 누워 있었다. 서로의 눈을 마주 보며 이야기를 나누는 친구들, 나란히 누워 하늘을 바라보며 장난치는 어린 연인들, 멋진 정장을 입고서 벤치에 앉아 학생들의 풋볼을 보고 있는 중년의 신사, 딸아이의 손을 잡고 나란히 걷고 있는 엄마 아빠. 빌딩 숲 사이 드넓은 지상낙원, 뉴욕의 심장 같은 이곳 센트럴 파크. 어떻게 이 빌딩 숲 한가운데에서 이렇게 마음이 평안할 수 있을까.

래빗 홀 재즈바

  소설가 무라카미 하루키와 굉장히 닮으신 분이 노란색 파리지앵 베레모를 쓰고 서빙을 하고 계신 재즈바였다. 내가 알기로는 무라카미 하루키 씨도 재즈를 정말 좋아하는 걸로 알고 있는데, 좀 많이 신기하고 재미있었다. 재즈바를 들어가기 위해서는 지하로 가는 계단을 몇 계단 걸어 내려가야 하는데, 마치 아는 사람들만 아는 비밀의 문을 들어가는 듯한 묘한 으쓱함을 느끼게 되는 출입문이었다. 숨겨지지 않은 묵직한 지하 출입문을 열자마자 자동차 경적 소리와 대마초 냄새가 즐비한 뉴욕 거리와 전혀 다른 또 다른 세계가 펼쳐지는 느낌이었다. 마치 앨리스의 래빗 홀에 빠지는 것처럼. 한창 재즈 연주가 진행되고 있었고 따뜻한 칵테일을 마시고 싶었던 나는 아이리시 커피를 한 잔 주문했다. 훌륭한 트럼펫 연주가 진행되는 중간중간에 사람들은 작게 박수를 보냈다. 어떻게 다들 기가 막히게 좋은 부분을 똑같이 느끼고서 그렇게 동시에 박수를 보내는지 모르겠지만, 정말 훌륭한 연주였다.

  나는 이곳을 이 재즈바의 이름과 무관하게 '래빗 홀'이라 부르고 싶다고 생각했다. 이 지하의 굴로 입성하는 순간 내 마음 상태는 '아무래도 좋아. 무엇이든 좋아.' 상태가 된다. 항상 예민한 내가, 이곳에서는 한없이 '제너러스' 해지는 기분이 든다. 그리고 '진짜 음악'이라고밖에 표현할 수 없는 이 연주를 듣는 이곳의 모두가 '제너러스' 해 보였다. 자연스럽게 처음 보는 이와 마주 보고 앉아 연주 중간 중간에 담소를 나눴고 오른쪽 옆 테이블 손님은 나에게 절인 올리브를 나눠줬다. 사실 나는 절인 올리브를 좋아하지 않지만, 그 친절한 마음에 부응하기 위해 짠맛의 감각을 애써 무시하며 두 개 세 개를 연달아 입에 넣으면서 웃어 보이곤 했다.

분명 살아있는 음악이었다. 세련되고 단정한 원피스를 입은 짙은 금발의 여성 보컬리스트가 입에 미소를 머금고 곡의 느낌에 따라 자신의 표정을 연주하듯 노래를 부르면 나도 그녀의 표정과 비슷한 온도의 미소를 머금고 내 표정을 연주하듯 음악을 듣는다. 노래하는 그녀와 우연히 눈이 마주치면 그녀는 그대로 눈을 휘며 매력적으로 웃는다. 그러면 나도 따라 웃는다.

기묘한 음악이 필요한 순간

나에게는 모든 상황을 갑자기 기묘하게 느껴지게 하는 플레이리스트가 있다. 신카이 마코토 감독 작품의 사운드트랙에 수록된 가사 없는 곡들이 많이 저장되어 있는데 그중에는 일본 밴드 래드윔프스의 곡들이 많이 있다. 그 곡들을 듣고 있자면 갑자기 내가 있는 현실이 어느 애니메이션 작품 속 비현실 세계가 된 것처럼 기묘하게 느껴지곤 한다. 그리고 그 기묘한 기분은 나를 진정시키고 그저 주변을 관망하게 하는 마법 같은 힘이 있다.

근처에 뉴욕대학교가 있고 영화 〈비긴어게인〉과 〈어거스트 러쉬〉 등 많은 작품 속 매력적인 배경지가 되었던 워싱턴 스퀘어 파크에 간 날이었다. 워싱턴 스퀘어 파크에 도착했을 때 내 머릿속은 내 안의 사사로운 문제들로 지쳐있었고 귀와 코는 뉴욕의 끊이지 않는 자동차 경적 소리와 대마초 냄새에, 다리는 하루 종일 걸어 다닌 탓에 완전히 지쳐있었다. 나는 유명한 맛집을 찾아볼 에너지조차 없어서 그 순간 눈에 들어온 한 라멘집에 들어갔다. 이곳까지 와서 대학가의 그저 그런 저렴한 라멘집에서 그저 그런 규동을 먹는다는 게 조금 억울했지만, 나의 기묘한 플레이리스트의 힘을 빌려 현실로부터 약간의 도피를 시도하며 쉬어가기에는 나쁘지 않은 조용한 분위기의 일본 라멘집이었다. 짙은 색의 목조로 이루어진 가게 안쪽에 창가로 빛이 내리쬐는 아늑한 바 자리에 홀로 앉아서 그저 그럴 것 같은 12달러짜리 규동과 해피아워 덕에 6달러로 맛보게 된 차가운 사케 한 잔을 주문했다.

창밖으로 지나가는 사람들을 바라보며 사케를 한 모금 마시고 래드윔프스의 음악을 곁들이니 왠지 이 곳이 뉴욕이 아닌 도쿄의 한 아늑한 라멘집에 와 있는 것만 같아서 꽤나 기묘한 기분이 들었다. 여기는 도쿄인데 창문 밖 풍경은 뉴욕이라니.

　처음 보는 방식의 일본 사케를 뉴욕에서 마셔봤다. '마스자케'. 삼나무로 만든 사각형의 마스 잔안에 유리잔이 들어있고 일본인 직원이 와서 사케 병을 높이 들어 마스 잔까지 사케가 흘러넘치도록 가득 따라줬다. 향을 음미하며 마실 정도의 애주가는 아니어서 그냥 규동 한 입에 사케 작은 한 모금을 번갈아 가면서 고독한 식사를 했다. 도수가 조금 있던 모양인지 유리잔 가득 한 잔을 마시고 마스 잔에 흘러넘친 사케를 마저 유리잔에 털어 두 잔을 마셨더니 약간 알딸딸해졌다. 라멘집을 나오니 오후 5시가 되어있었다. 눈앞에는 주황빛 햇살이 내리쬐는 워싱턴 스퀘어 파크가 보였다. 기묘하고도 들뜬 기분으로 미니 개선문처럼 생긴 워싱턴 스퀘어 아치를 기분 좋게 어슬렁거리며 그 앞에서 기념사진을 찍는 관광객들의 모습을 관찰하다가 냄새나는 지하철을 타러 갔다.

캠프파이어 대신 엠파이어 스테이트 빌딩 뷰

어느 젊은 나이대의 한국인 어머니가 혼자서 유치원생쯤으로 보이는 딸과 아들을 데리고 뉴욕으로 가족 여행을 온 것 같았다. 탑 오브 더 락 전망대의 70층 꼭대기에서 해가 저물어가는 시간에 뾰족이 솟아오른 엠파이어 스테이트 빌딩과 그 옆으로 빼곡한 빌딩 숲을 배경으로 두고서 셀카봉을 펼쳐 엄마와 딸, 아들 이렇게 셋이 얼굴을 맞대고 사진을 찍으며 즐거워했다. '혼자서 애들 둘을 챙기며 이 복잡한 뉴욕을 다니려면 얼마나 힘드실까. 나는 나 혼자 여행하는 것도 이렇게 힘든데.' '함께니까 외롭지는 않겠지.' '저 아기들은 나중에 커서 엄마와 함께한 이 뉴욕 여행의 추억을 오래도록 감사해하지 않을까.' 당사자인 저 어머니는 지금 그저 이 순간이 너무 즐거워 보이셨는데 제삼자인 내가 그녀를 보며 혼자서 괜히 울컥한 순간이었다. 울컥하면서 나도 어처구니가 없긴 했지만. 불현듯 나도 엄마가 보고 싶었던 것 같다. 마치 중학교 수학여행 중 캠프파이어 앞에서 엄마가 보고 싶은 것처럼 말이다. 밤이 되자 뉴욕의 빌딩 숲은 밤하늘의 빼곡한 별처럼 빛나고 있었고, 엠파이어 스테이트 빌딩을 필두로 한 이 '어메이징'한 야경을 내려다보면서 나도 '우리' 엄마에게 전화를 걸었다.

어제 브로드웨이에서 뮤지컬 〈위키드〉를 보다가 트렌치코트 벨트를 잃어버렸다는 정말 사사로운 이야기부터 미국에서 내가 어떻게 지내고 있는지까지 나는 미주알고주알 신난 중학생처럼 엄마에게 떠들어댔고 엄마는 내가 들려주는 이야기를 들으며 같이 행복해했다. 아니 어쩌면 나보다 더 행복해하셨던 것 같다. 엄마는 이곳에서 즐거워하는 내 목소리를 듣고 이렇게 화면으로 내 얼굴을 보는 것만으로도 즐겁다고 했다. 그녀는 항상 내게 조건 없는 무조건적인 사랑을 들려주고 부어준다. 그러면 나는 충만해지고 힘이 난다. 내가 늘 행복하길 바라는 사람. 내가 기쁜 일에 나보다도 더 기뻐하고 격려를 아끼지 않는 사람. 잠시 외로울 뻔했는데 이렇게 금세 마음이 뜨거워진다. 선셋 타임이 끝난 후 1층으로 내려가는 퇴장 줄이 너무 길어서 홀로 꼭대기 층에 남아 통화를 오래 하게 되었는데, 아주 다행이라 생각했다. 나도 이제 1층으로 내려가야지.

뉴욕, 나도 엄마랑 꼭 와야지!

그게 중요한가?

사실 이번 기회에 소설을 써보려고 했는데, 소설을 쓸 때는 어떤 초자연적인 존재로 인해 갑자기 심리적인 구원을 받아 사건이 해결되는 전개를 지양해야 한다고 한다. 그런데 꾸며낸 이야기가 아닌 실제 내 인생에서는 불현듯 인생의 진리 같은 게 예기치 못한 순간에 뜬금없이 떠오를 때가 있다. 그리고 그 생각 하나가 내 안의 모든 문제를 엉킨 실타래가 풀리는 것처럼 해결해 주는 순간들이 있는데, 그건 나로서도 설명할 수가 없다.

예기치 못하게 오전 내내 센트럴 파크에 벌러덩 누워있었다. 각양각색의 사사로운 걱정들로 마음이 굉장히 조급하고 어지러운 날이었다. 그 마음 상태가 지금 이 귀한 여행을 온전히 누리지 못하게 방해하는 것 같아 괴로웠는데 도무지 어떤 번뜩이는 아이디어로도 그 엉킨 실타래 같은 상태를 정리할 수 없을 것만 같았다. 그래서 오전 일정을 포기하고 더 이상 아무 생각도 하지 않기로 다짐하며 센트럴 파크의 드넓은 잔디로 가서 가장 큰 나무 아래 누워있었다. 하늘을 올려다보고 구름 모양을 관찰하는데 불현듯, '그게 중요한가?'라는 질문 하나가 떠올랐다. 그리고 정말 갑자기 내가 하고 있는 이 모든 걱정이 부질없어지는 느낌이 들었다. 무언가가 스르르 풀려나가듯 마음이 평화로워지는 순간이었다.

잘 생각해 보면 사사롭게 내 신경을 흐트러뜨리고 나를 괴롭히는 이 문제—라고 생각되는 것—들이 사실 내 인생에 큰 문제가 아니라는 생각이 들었다. 내 인생을 크게 봤을 때 이게 큰일일까. 아니. 인생은 왜 크게 봐야 하는 걸까. 작게 보게 되면 한없이 작게 보게 되니까. 예민하기 시작하면 한없이 예민해지는 것처럼.

'이 문제가 내 인생을 크게 봤을 때 중요한 것인가?'라는 질문.

그렇게 생각해 보면 딱히 크게 중요한 건 많이 없는 것 같다. 그러면 이렇게까지 사사롭게 불안할 필요가 없지 않을까. 어쩌면 그렇게까지 중요한 것이 많이 없는 게 결국 인생이 아닐까. 물론 사람에 따라 진짜 큰 문제도 있겠지만 적어도 지금 나의 경우는 아닌 것 같았다.

오늘도 내가 건강한지, 내가 지금 누구와 함께인지, 누구를 사랑하는지, 어떤 일을 하는지, 어디에 있는지. 지금의 내게 중요한 것들은 이런 것들이 아닐까.

다시 찾은 래빗 홀

이번 뉴욕에서의 마지막 밤이다.

홀로 이렇게 뉴욕을 오래 여행할 날이 앞으로 또 있을까 생각한다. 혼자 떠나는 여행을 정말 좋아한다고 생각했는데 최근에 내 사랑하는 이와 여러차례 여행을 함께 했더니 이전에는 딱히 느끼지 않았던 고독함이랄까 허전함이랄까 뭐 그런 부류의 감정들이 이따금 나를 무기력하게 하곤 했다. 아무래도 함께 감탄하고 함께 행복해하는 여행을 좀 더 좋아하게 된 것 같다.

다시 뉴욕의 마지막 밤이라는 감상으로 돌아와서, 마지막 밤인 만큼 다시 한번 첫째 날 갔던 재즈바를 찾았다. 안타깝게도 다시 찾은 이곳은 그날에 내가 만난 '래빗 홀'이 아니었다. 사실 나도 그날의 '래빗 홀'은 다시 만나지 못할 걸 알고 있었던 것 같다. 그래서 다른 재즈바를 먼저 갔었는데 그곳은 너무 유명한 곳이라 출입문 앞으로 길게 늘어선 줄을 보자마자 '어이쿠!' 하고 바로 발걸음을 돌려서 결국 비밀의 문같은 출입문을 가진 이 재즈바로 돌아왔다.

나는 내 인생에 완벽하게 좋았던 장소를 다시 가지 않는다. 작품도 다시 보지 않는다. 그곳이 그렇게 좋았던 건, 그 작품이 그렇게 감동적이었던 건 그날 그때 내가 만난 행운이라고 생각한다. 그래서 괜히 더 누리려고 욕심을 냈다가 다른 감정으로 오염되는 것을 경계한다. 그 기억 자체로 소중히 간직하는 걸 좋아한다.

분명 이 재즈바에 왔던 첫날에도 그런 직감이 들었던 것 같다. 그날 정말 우연히 이 재즈바를 알게 됐다. 큰 일교차 때문에 몸컨디션이 안 좋았음에도 왜인지 가야 할 것만 같아서 자정이 다 되어가는 늦은 시간에 다시 옷을 챙겨입고 호텔에서 나왔고, 혼자서 낯선 도시의 밤이 무서웠지만 지하철을 타러 갔다. 그날 바에서 만난 한 재즈 밴드의 공연은 재즈를 모르는 내가 재즈를 사랑하게 만들었고, 오른쪽 옆 테이블에 앉아 수첩에 무언가를 열심히 적던 내 나이 또래로 보이는 두 명의 미국인과는 어느 순간 친구가 되었다. 그들은 뉴저지에서 예술을 공부하는 학생들이었는데 나에게 뉴욕에서 꼭 가봤으면 하는 곳들을, 수첩을 찢어 펜으로 하나하나 적어줬다. 그 종이쪽지는 나만의 뉴욕 기념품이 되었다.

소름이 끼치도록 좋았던 보컬리스트의 목소리와 나에게 종이쪽지 가득 브루클린의 명소들을 적어준 학생 두 명 그리고 소설가 무라카미 하루키를 닮은, 베레모를 쓴 작은 키의 웨이터까지. 그때 내가 우연히 들어간 곳은 내가 원한다고 언제든지 다시 만날 수 있는 곳이 아닌 그날 그때의 내가 선물 받은 차원의 문 같은 래빗 홀이었다.

오늘 공연하는 재즈 밴드는 보컬리스트가 없다. 아쉬움에 기대 없이 듣다 보니 이들도 손이 풀리고 서로 점점 합이 맞아 제법 리드미컬하게 재밌는 연주가 이어진다. 점점 귀가 기울여지고 있다. 오늘은 오른쪽 옆 테이블에 정신없이 서로의 사진을 찍고 찍어주는 젊은 친구들 네 명이 앉아 있고, 키가 큰 파란 눈동자의 웨이터가 서빙을 하고 있다. 오늘 밤에는 추위에 떨지 않아서 따뜻한 아이리시 커피를 시키지 않았고 포트와인을 시켰다. 다행히 참 맛이 있다.

Travel light, Live light !

첼시마켓에서 먹었던 랍스터의 맛보다 랍스터를 해피아워에 저렴하게 먹기 위해 시간을 태우다가 발견한 문장 하나가 이 여행의 끝에 남는다.

"Some Days Are Diamonds, Some Days Are Stone - John Denver"

어느 꽃 가게의 입구에서 우연히 이 문장이 적힌 캔들을 잠깐 본 것뿐인데 마치 내게 각인된 것처럼 이번 여행을 두고 오래 떠오르는 문장이 되었다. 어떤 날들은 다이아몬드처럼 빛날 테고, 또 어떤 날들은 그저 돌로 된 바위 같을 날일 수도 있겠지. 어느 시점부터 나는 여행의 매 순간이 행복해야 한다고 생각하느라 행복하지 못할 때가 많았던 것 같다. 이번 여행도 모든 시간이 만족스럽도록 행복하고자 오히려 나를 힘들게 하고 지치게 만든 순간들이 참 많았으리라. 저 문장을 읽어버린 순간, '아무렴. 모든 순간이 빛날 수는 없지.' 생각했다. 그럴 수도 있고 이럴 수도 있지 싶었다. 그렇게 생각하니까 모든 순간이 아닌 우연히 내가 만나게 된 잠깐의 행운들이 오히려 내 여행의 여정들을 더 빛나게 하는 게 아닐까 하는 생각이 들었다. 이번 뉴욕에서 잠깐의 여행도 그렇고 앞으로 내가 살아갈 내 삶의 긴 여행도 그렇고, 말이다. 그런 우연에 기대어 부디 가볍게 여행하고, 가볍게 살아갈 수 있기를.

에필로그_하이 걸 유 어 패뷸러스

- 일단 샤워부터 하고 나서
- 식어버린 피자는 맛이 없다.
- 큰일은 일어나지 않는다.
- Travel light Live light
- 인생을 크게 봤을 때 중요한 건 사실 많지 않다?

위 문장들은 뉴욕 여행하며 내 수필이자 여행기의 제목으로 고려했던 문장들이다.

하지만 뉴욕의 마지막 날 밤, 그만 이번 여행을 갈무리하고 재즈 바에서 나가려 문을 여는 순간, 영화 〈비긴어게인〉의 여주인공 그레타의 친구와 너무나 닮으신 통통한 체격의 칼라셔츠를 입은 한 미국인을 맞닥뜨렸다. 그가 나를 보자마자 눈을 크게 뜨고 해준 말이 있다. 나는 그가 나를 향해 해준 말이 마치 복주머니같이 생긴 주머니에 이번 나의 뉴욕 여행을 넣어 매듭을 묶어주는 끈 같은 느낌이었다.

"HI GIRL ! YOU ARE FABULOUS !"

나를 찾아서 : 나비효과

검정 뚠뚠이

검정
뚠뚠이

저자: 검정 뚠뚠이
공대생에서 현재는 인문학과 예술을 좋아하는 여자. 나이 먹고도 젊게
살 수 있는 방법에 대해 주로 생각한다. 과거와 현재를 지탱하는 두 여
성 '임청하' 와 '에일린 크레이머(Eileen Kramer). 생애 첫 에세이

〈여전히 반갑다〉

"야, 장소 좀 신선하게 안 되냐? 또 중국집이야? 그 왜 있어 보이게 기네스 생맥주 나오고 이런데 좋잖아?"

"흐흐, 잘 지냈어? 요즘 건강 생각한다고 술 안 먹는 애들이 꽤 있다, 너. 우리 왜 20대 때 남자애들은 짬뽕 국물에 고량주 엄청나게 먹고, 우리는 탕수육 먹으면서 소스를 위에 뿌리니 마네, 진정한 맛은 소금을 찍어야 안다네 뭐 그러고 놀았잖아. 이상하게 그 생각이 자꾸 난다."

"건강 생각한다면서 고량주 얘기는. 자꾸 옛날얘기 하는 거 보니 우리도 늙었다 늙었어. 근데, 너 모야 얼굴 좋아 보인다? 뭐 요즘 하는 거 있냐?

"얼마 전에 나 상희 만났잖아. 그 너 알지? 우리 반 인기 젤 많던 애. 요즘 2살, 3살 남자애들 키우느라 정신없나 봐. 걔가 오랜만에 남편한테 애들 맡기고 같이 근사한데 가서 밥 먹고, 노래방 가자고 하더라고.

아주 가서 3시간을 불러제끼고 나니까 20년은 젊어진 거 같다, 야. "

"뭔 노래를 불렀길래 20년이 젊어져? 상희. 그래. 기억난다. 여전히 이쁘겠지?"

"원래 얼굴은 이쁘지. 근데 한창 애 돌보느라 뭐 꾸밀 세가 있겠어? 그래도 오랜만에 화장하고 옷 차려입고 이러니까 좋았나 봐. 너무 좋아하더라 정말, 종종 데리고 나와야겠어"

오랜만에 중학교 동창회에 나가서 반가운 얼굴을 만나니 앉자마자 말이 폭포수처럼 쏟아져 나왔다. 세월이 20여 년이 훌쩍 지났는데, 그래도 어렸을 때 얼굴이 남아있는 거 보면 참 신기하다. 그 때 나는 제대로 모범생이었는데 말이다. 그 흔한 로데오 거리 한 번 모르고, 생전 처음 영화관에 가서 본 영화가 귀천도였나. 매트릭스였나. 그나저나 상희. 상희 보고 싶다.

〈이쁜 게 뭐여? 나의 임청하, 너 때문에 버렸다〉

"야, 에일린! 그만 좀 보고 가서 공부하라고! 너 정신 안 차릴래?"

엄마의 오른손에는 TV 케이블 자를 가위가 들려 있었다.

"아, 좀…… 내가 언제 시험 못 본 적 있어? 조금 보고 밤새워서라도 할 테니까, 좀 놔둬!

산더미처럼 내 옆에 쌓여있는 비디오는 중국 무협 영화였다.

짙은 눈썹, 큰 눈망울, 시원한 이목구비는 영락없는 중국 남자인데, 흰 목덜미, 긴 검은 생머리, 도톰한 빨간 입술. 나무 사이를 거침없이 날아다니며 이연걸과 대결하다 강물에 빠진 여주인공이 머리부터 가슴까지 천천히 물에서 걸어 나오는 모습에 나는 정지버튼을 눌렀다. 와…이쁘다. 아니다, 멋있는 건가. 동방불패 임청하. 내 사춘기 시절 내 정체성을 결정해 준 배우. 그 정체성 앓이는 생각보다 심해서 20대 초반까지 무협지를 끊지 못했다. 그녀는 남자만큼 무공이 뛰어났고, 아름다웠으며, 자신감 넘쳤고, 한편으로는 보호본능을 일으켰다.

당시 중학생인 나는 공부 잘하는 반장이었고, 뚱뚱했다. 반에 나보다 등수는 낮지만, 예쁜장했던 상희는 반의 모든 여자아이들의 질투 대상이었다. 수학여행 가는 버스 맨 뒷자리의 남자애들 사이에 혼자 앉아있던 그녀는 잠을 이기지 못하고, 학년에서 제일 인기 많은 남자아이의 어깨에 기대고 말았다. 그 때였다. 버스 안 공중에 보이지도 않는 불꽃이 튀는 것 같은 긴장감이 느껴지는 건.

수행여행에서 돌아온 다음 날 방과 후. 나와 상희를 제외한 10명의 여자아이들의 회의가 열렸다. 주제는 그 남자애가 과연 상희를 좋아할 것인가였다.

"반장, 너도 이리 와봐. 너도 무슨 할말이 있을 거 아냐."
"아니, 없어. 빨리하고 나가자. 교실문 잠그고 나 집에 가서 신데렐라 봐야 해."

임청하를 좋아했던 나는 우리 반 상희처럼 가녀린 몸매는 가지기에 글렀으니, 남자처럼 무공이 뛰어나야 한다고 생각했다. 멋진 남자가 반드시 예쁜 여자를 좋아하진 않을 거다. 어차피 그 남자애는 인기쟁이에다 다른 여자친구가 있는 거 뻔히 아는데, 거기에 굳이 내가 끼고 싶진 않았다. 나는 얼른 애들을 내보내고 문을 잠갔다.

시간이 흘러 친구들과 헤어지고 고등학생이 된 나는 입시 때문에 앉아만 있는데다, 쉬는 시간엔 벨 울리기 무섭게 매점으로 뛰어가니 번들거리는 치마는 미어터지고 주름 잡힌 지 오래, 학교 오자마자 사복이나 체육복으로 갈아입은 지 오래. 괜찮은 대학만 가면 모든 게 해결될 줄 알았는데, 밖에 막 나온 내게 세상엔 나보다 똑똑한 애들도, 예쁜 애들도 너무 많았다. 다행히 임청하와 무협지에 미쳤던 나는 여자보다 남자가 많은 공대 생활이 오히려 편하게 느껴졌다. 외적인 것보다 숫자, 결괏값으로 보여주는 것이 나를 더 잘 나타내는 것으로 생각했던 것이 아닐까.

"에일린, 너 이번에 대학 수학 점수 나온 거 보니, 꽤 높더라, 도서관에 있더니만."

"어, 그냥 저냥. 근데 애들 다 어디갔어?"

"다른 학교 애들이랑 단체미팅 한다고, 학교 앞 호프집 떼거지로 갔다"

"아! 나온 애들 마음에 안 들면 단체로 맥주 500cc 시키기로 한 거 그거?"

"어. 그거그거. 야, 빨리 구경하러 가자."

나도 구경 말고 미팅이 해보고 싶었다. 결국 한 번도 해보지 못하고 구경꾼에 머물렀지만.

아쉬웠다. 대학의 낭만이라는 건 다 경험해보고 싶었는데. 살을 빼야겠다.

〈거 나한테 너무 심한 거 아뇨, 이렇게까지 해야한다고?〉

"23번 에일린님, 원장실로 들어오세요."

XXX 한의원. 칼 각 검은 치마 정장에 가슴에 금색 배지를 단 직원이 부르는 소리에 소파에 깊숙이 앉아있던 나는 한 번에 일어나지 못하고, 발을 세게 굴러 몸을 일으켜 세웠다.

"어서 오세요. 이리 앉으시죠."

거기엔 생각지도 못한 50대 중년 남자가 앉아있었다. 포마드인지 왁스인지 올백으로 넘긴 머리를

45도로 살짝 쳐들고는 검사한 내 N-BODY자료를 무심한 듯 손가락 2개로 집어 넘기며,

대뜸 물었다.

"남자친구 있어요?"

"네? 아뇨······"

"그렇죠? 없는 게 정상이지. 집에 돈 좀 있어요? 남친 있었으면 아마 돈 보고 만났거나, 딴 의도가 있는거죠. 이 상태로요. 아, 기분 나빠하지 말아요. 사실이니까. 우리 이뻐져야죠. 안 그래요?"

나는 순간 앞에 명패를 면상에 던져버리고 싶은 충동을 간신히 참았다. 15년 전 그 때는 '너를 위한 거야'라는 명목 하에 폭언을 퍼붓는 것에 대한 아무런 제재도 못했던 시절이었다. 나는 내가 오로지 남자를 만나기 위해 여기 온 것 같은 심한 모멸감을 느꼈다. 과외를 3개씩

뛰고, 책방 알바를 하며 알뜰히 모은 금쪽같은 거금을 결제하는 내 마음은 그지 같았다. 다음 주부터 이제 한달 간 갇혀서 지옥의 다이어트를 시작한다.

"옷 갈아 입으셨나요? 자, 이제 한 달 동안 이 방에서 같이 생활하시면 됩니다. 아침 7시, 저녁 9시 몸무게 체크 하루에 2번 하구요, 아침엔 혈압, 기초 대사량 체크도 함께 합니다. 외부음식은 절대 드시면 안됩니다. 편안하게 생각하시고 시키는 대로만 하시면 원하시는 목표 달성하실 겁니다." 안내직원은 그렇게 말하고 방을 나갔다.

나는 방 안을 쭉 둘러봤다. 아이보리색 커튼이 활짝 젖혀진 큰 창문 밖으로 반대편 건물 옥상이보이고, 널찍한 방안에 1인용 침대가 여러 개 들어가 있다. 20-30대 정도로 보이는 여자들 6명이 모였는데, 내가 젤 뚱뚱한 것처럼 보인다. 똑같은 유니폼을 입고는 한껏 어색해진 얼굴로 인사를 한다. 사실 지금 내 머릿속엔 인사고 뭐고 이 짧은 반바지가 끼긴다는 생각 밖에 없다. 밝은 유니폼 색깔 때문에 더 뚱뚱해 보이는 거 같아 누가 보는 사람도 없는데 연신 티셔츠를 밑으로 잡아당겨본다.

첫 아침식사에 뭐가 나올까 궁금하던 나는 보자마자 한숨부터 나왔다. 모두가 간장 종지 크기였다. 죽 포장하면 같이 나오는 반찬 플라스틱 용기보다 조금 더 큰 정도. 거기에 현미밥, 소금으로 살짝 무친 나물 몇 개. 생선 혹은 닭가슴살. 그리고 젤 충격은 김치. 양념 거의 없는 작은 김치조각 1-2개가 가위로 잘게 잘라져 나왔다. 그리고 유산소

운동과 PT, 스트레칭 2시간씩 하루에 2번. 기계 전신 마사지요법 등

생전 처음 하는 다이어트에, 첫 주는 매일 빠르게 감량됐다. 1-2주일이 지나니 서서히 감량 속도가 줄어든다. 어느 날은 0.1kg도 안 빠졌다. 그 날은 어김없이 식단에 죽이 나왔다. 간장종지 크기에 죽을 2-3일 먹으면 안 내려갈 수가 없다. 내려간다.

얼굴에 웃음기가 사라졌다. 데스크 쪽에 여성잡지도 많았는데, 보려고 잡지를 펴도 도대체 글을 읽을 수가 없고 집중이 안 된다. 밤에 누워있는데, 갑자기 눈물이 났다. 도대체 내가 왜 쳐먹어서 이 짓을 하고 있나. 내가 무슨 영화를 보겠다고 이 짓을 하고 있나 싶다. 도저히 안 되겠다고 생각이 들던 중에 나영 언니가 다이어트 경험이 많은 지 밖에 잠깐 나갔다 오자고 했다.

"야. 나 동대문 아울렛 가려고 하는데, 너 갈래? 아무것도 안 먹고 돌아다니기만 할 거야"

"네네네. 저도 갈래요!"

어차피 갔다 오면 바로 몸무게를 재니, 먹을 수도 없었다. 휴, 안에 갇혀 있다가 밖에 나오니 살 거 같다. 남대문 시장, 동대문 아울렛, 백화점을 돌아다니는 건 정말 최고의 선택이었다. 우선 먹을 순 없지만, 맛있는 음식 냄새를 마음껏 맡을 수 있고, '다음에 나가기만 해봐라. 내가 저거 꼭 먹는다.' 고 찜 해 놓은 음식만 수십가지. 이게 바로 요즘 다이어트 할 때 먹방 보는 거랑 같은 거지. 게다가 살쪄서 배 가리느라 헐렁한 옷, 트레이닝 복, 힙합 바지 같은 것만 입다가, 돌아다니면서 조금씩 빠질 때마다 입을 수 있는 바지, 티셔츠 들이 생겨난다는 게 정

말 큰 기쁨이었다. 데스크 옆 냉장고에 배고프면 먹으라고 오이와 당근이 작게 잘라져 있었는데, 한 두 개씩 꺼내 먹으면서 매일 밤바다 언니들과 얘기했다. 우리 비키니 사서 방에 걸어놓고 저거 입을 때까지 같이 힘내자고.

'부스럭부스럭'

나는 깜깜한 방에 부스럭대는 소리에 잠에서 깼다. 겨우 눈을 떴는데, 저쪽 커튼이 쳐진 창문 가에 누가 앉아있다.

"누구세요? 나영 언니예요? 언니, 거기서 뭐해요?"

"암 것도 아니야. 계속 자."

난 더듬거리며 언니 앞으로 갔다. 가보니 초코파이, 오예스 4-5개가 이미 껍질만 남아있다.

"헉! 언니, 뭐야. 언니 이러면 안 되잖아"

그동안 나는 몰랐다. 아침에 깨서 밥 먹을 때 언니 손을 자세히 보니 상처가 무수히 많다는 걸.

그 언니는 밤에 몰래 그렇게 초코파이, 삼각김밥, 초코바를 마구 먹고는 손가락 넣고 토하기를 반복했던 거였다, 15년 전 그 당시는 나도 어리고 아무것도 몰랐던 때였는데, 한 눈에 봐도 이건 뭐가 잘못됐다는 생각이 들었다. 지금으로 말하면 이건 섭식장애다. 인터넷이 발달한 지금은 검색만 해봐도 금방 알 수 있지만 그 당시에는 그런 것도 쉽지 않았다. 이건 치료가 필요한 정신질환이다.

아직도 언니의 모습이 내 머릿속에 생생하게 남아있다. 하얀색 블

라우스에 무릎까지 오는 백합이 그려져 있던 세련된 하늘색 치마를 입은 모습이. 도대체 왜 여기에 온 걸까 싶었던 세련되고 예쁜 언니. 한 번은 그 언니 집에 놀러갔다. 집이 내방이었는데, 2000년 대인데도 경비가 꽤나 철저한 고급 빌라였다. 안에 들어가니 70-80평은 되어 보인다. 런닝셔츠만 입은 웬 중년 아저씨가 골프채를 닦으며 거실에서 웃으며 인사를 하는데, 어느 기업 임원이란다.

평소에 그 언니와 있으면서 난 이 언니가 이렇게 부잣집 딸인 걸 전혀 몰랐다. 물론 외출할 때마다 입고 다니던 옷이 명품 브랜드를 전혀 모르던 때인 데도 고급스럽고 세련되어 보이긴 했지만, 사람들과 남대문 시장, 동대문 아울렛 돌아다니면서 늘 밝게 웃고 따스한 배려있는 언니였다.

그 때 그런 생각을 했었다. 나는 이렇게 살을 빼려고 아등바등한다고, 그 동안 열심히 먹어놓고는 밤에 뭐가 억울하다고 울고 그랬는데, 세상엔 참 부자도 많고, 저렇게 모든 걸 가진 사람처럼 보이는 사람도 섭식장애를 가질만큼 남 모르는 아픔이 있구나. 나는 저런 백합 그려진 무릎까지 오는 딱 달라붙는 치마를 이번 생애 한 번 입어보는 게 소원인데.

'저 언니는 본인이 저렇게 빛나고 예쁘다는 걸 알고 있을까.'

본인이 가진 것이 많고 소중한 존재라는 걸 옆에서 누가 말해주는 사람이 있었다면 달라졌을까.

1달 동안 10kg 이상을 감량하고, 나는 퇴원했다. 그 이후로 2달을 더 집에서 비슷하게 먹고 운동해서 7kg를 추가로 감량했다. 워낙 뚱뚱했던 나는 20kg를 감량했어도 보통 사람 몸무게 보다 여전히 많이 나갔다. 하지만, 젤 큰 변화는 내 마음에 생긴 자신감이었다. 그동안 내가 유일하게 버텨왔던 것은 공부를 그럭저럭 했다는 것이었는데, 세상에 나와보니 어찌나 잘나고, 똑똑하고, 예쁜 사람이 넘쳐나던지. 여전히 예쁜 사람들에 비해 나는 평범하지만, 예쁜 걸로 생긴 자신감이 아니라, 나도 할 수 있다는 걸 알게 된 것에서 비롯된 자신감이었다.

"여기여기. 잘 지냈어?"

오랜만에 만난 남사친. 날 남자로만 대하던 놈.

"야 임마, 너 뭐야? 뭐가 많이 달라졌는데?"

친하게 지내던 다른 학교 남자아이가 나를 보는 눈빛이 달라진 걸. 내가 먼저 연락하지 않으면 잘 연락도 안 하던 아이가 먼저 전화를 하고, 생각난다고 연락하는 일이 생겨난 걸.

난 그 전화를 받은 날, 남몰래 울었다.

사회에서 실력있고, 진취적인 사람으로 인정받고 싶은 내 절절한 마음 한 켠에는 나도 여성으로서 사랑받고, 사회로의 진입이 좀 더 수월했으면 하는 마음이 동시에 있었던 게 아닐까 싶다. 그날따라 다시 임청하 생각이 많이 났다.

그 이후로 난 다시 앉아있는 시간이 많아졌고. 스트레스로 먹는 일이 많아졌다.

〈나이, 시대를 초월한 나다움이란〉

*에일린 크레이머(Eileen Kramer) : 호주의 최고령 댄서

1914년 생 (109세), 여전히 그녀는 춤추고, 책을 쓰고, 영화도 만든다.

10대의 나는 외모는 필요없고 공부만 하면 된다고 생각했던 적도 있었고, 20대의 나는 현실을 마주하며 외모를 꾸미는 것이 제일 중요하다고 느끼고 노력했던 적도 있었다. 40대에 접어든 우리는 현실에서 해야 할 일들도, 감당해야 할 일들도 많다. 전처럼 공부만 할 수 있는 환경도 아니고, 싱글의 삶이 아닌데, 가족들을 위한 일들과 식사준비를 하면서 나 혼자 식단을 하고, 운동을 지속적으로 하는 건 젊을 때보다 더 큰 의지와 결심이 필요한 일이다. 그래서인지 에일린 크레이머가 109세가 되도록 나이에 굴복하지 않고 본인이 좋아하는 것을 끊임없이 해 나가는 것 자체가 너무나 대단해 보이고, 비록 주름은 자글자글해졌지만 그녀가 지금도 아름다워 보이는 이유다. 춤을 추고, 외모를 가꾸고, 책을 쓰고, 영화를 만드는 건 하나의 수단일 뿐이다. 무엇이 되었든 젊을 때의 열정을 다시 되살리고, 나를 잃어버리지 않게 할 무언가를 지속적으로 한다는 것이 중요한 게 아닐까.

다시 운동을 시작했다. 어릴 때는 외적인 아름다움만을 위해서 다이어트를 했다면, 이제는 나의 체력과 노후를 위해 하고 있다. 확연히 옛날과는 빠지는 속도도 느리고, 운동하면서 고려해야 할 것들도 많다. 서글픈 일이지만 그건 나이가 들어감에 따른 자연스러운 현상이

라고 생각하고 있다.

어느 날은 전철역 거울을 보고 지나가는 데, 내가 너무 추레하게 보이는 거였다.

'아, 나 또 살이 많이 쪘네.' 갑자기 우울해져서 얼굴이 굳어졌더니

"왜 그래?"

"아니, 살이 많이 쪄 보여서, 나이도 들어 보이고 정말 이건 아닌 거 같다."

옆에 있던 친구가 그런 말을 했다.

"너 그거 어렸을 때부터 그런 거 아냐? 앉아있는 시간이 많아서 그렇지. 너 먹는 양이나 너 성향을 보면 살이 찔 스타일이 아닌데. 건강만 괜찮다면 너 답게 살아도 충분히 괜찮지 않을까?"

정말이지 이렇게 말해주는 사람이 있다는 게 너무 큰 위로가 됐다.

〈나가며〉

뚠뚠이들의 마음은 뚱뚱해봤던 사람만이 알 수 있는 감정이다. 어
렸을 때부터 뚱뚱했던 사람들은 자연스레 배를 가리기 위해 어깨가
굽어질 수 밖에 없다. 그 수많은 소외된 것 같은 감정들. 뚱뚱한 사람
들에게 응원을 보내고 싶다. 괜찮다고, 할 수 있다고. 꼭 20-30kg를
빼야 성공한 것이고 환골탈태 하는 건 아니지 않나. 다이어트 하다가
중간에 못할 수도 있다. 외모 말고도 본인을 나타낼 수 있는 일이 얼마
든지 있다고 말해주고 싶다. 우리 힘내자.

\# 정확한 식단 및 운동 정보는 전문의 및 전문 헬스 트레이너에게
상담 받으시길 바랍니다.

PS. 어느 날의 일기 (나에게 하고 싶은 말 : '괜찮아')

융합의 시대. 과학과 예술은 최고의 친구다. 레오나르도 다빈치는
'모나리자'를 그려낸 세기의 화가인 동시에 건축가이자 해부학 도감
을 그린 과학자다. 광화문 흥국생명빌딩 앞 광장에 위치한 조나단 보
로프스키의 '헤머링맨'은 예술이 과학과 만난 키네틱 아트(Kinetic
Art) 이다. 왜 친구가 됐을까. 단순히 문화예술진흥법에 의해 도심의
심미적 환경 조성과 예술가들의 창작활동을 돕는 목적 때문일까.

햇살에 부서지는 바다를 그리려해도, 바다의 파란색은 여러 파란색
중에 어떤 파란색인가. 너를 그리기 위해 내가 인식하는 너라는 정의
부터 내리고, 디테일함으로 생명력을 불어넣는다. 또 이렇게 저렇게

실패를 거듭하고 종이를 박박 찢어가며 그렇게 딱딱하고 완고한 철옹성을 걷어낸다. 완벽은 클리셰하다.

"A-55번 손님, 주문하신 아이스 아메리카노 나왔습니다."

내 앞의 머큐리는 자리에서 일어나 컵 홀더를 집었다. 툭. 수십개의 폴더가 와르르 떨어진다. 머큐리는 뒤도 돌아보지 않고 도망치듯 나가버렸다. 직원은 묵묵히 그걸 치우고 있다.

내동댕이쳐지듯 4명이 동시에 바닥과 조우했다. 오랜만에 뛴 2인 3각 경기. 나이먹은 나는 쪽팔림에 스프링 튕기듯 1초만에 일어났다. "하하하, 괜찮습니다……" 괜찮긴 뭐가 괜찮냐. 팔뚝은 벌겋게 부어올랐지만, 진짜 괜찮았다. 아니, 오히려 기쁘고 즐거웠다. 완벽하지 않으면 어떤가. 사람들과 함께 열심히 뛰었는데. 그렇게 오늘도 한 스푼 한 스푼 딱딱한 나를 덜어낸다.

Thanks to

항상 변함없이 옆 자리를 지켜주는 남편과 가족에게 감사를 전합니다.

새벽의 우리들

발행 2024년 7월 7일

지은이 강희진, 추효림, 김승미, 율리, 비엔나소시지, 김정아, 김 현, 검정 뚠뚠이

라이팅리더 현해원

디자인 윤소현

펴낸이 정원우

펴낸곳 글ego

출판등록 2019.06.21 (제2019-67호)

주소 서울시 강남구 강남대로 118길 24 3층

이메일 writing4ego@gmail.com

홈페이지 http://egowriting.com

인스타그램 @egowriting

ISBN 979-11-6666-517-2